우리 함께 열심히 공부해 봐요!!

이준기와 함께하는
안녕하세요 한국어
Hello Korean with Joon Gi Lee

1

| References |

* We abbreviated nouns to N, adjectives to A, and verbs to V in the text.

* The special section that appears at the end of a chapter does not appear in all of the chapters.

* Joon Gi Lee himself recorded all of his parts in the soundtrack.

* The rules of Korean pronunciation are covered comprehensively in "준비운동(Warming Up)," and they also appear repeatedly in "어휘와 표현(Vocabulary and Expressions)" in the main text.

* Answer Keys for "문법 활용 연습(Grammar Exercise), 회화 연습(Conversation Drill), 듣기 연습(Listening Drills)" are included in the Appendix.

* The pronunciation denoting system from *KBS Standard Pronunciation Dictionary* was used in this book to denote pronunciation of words. Since pronunciation symbols and actual vocalization of words may differ at times, please refer to the soundtracks in the accompanying DVD.

HELLO ~ KOREAN

이준기와 함께하는

안녕하세요 한국어 1

ENGLISH EDITION

Authors **Ji Young Park and So Young Ryu**

마리북스

저자의 말

The writing process of this book took us 3 years, and finally we're proud to announce the publication of this beautiful book. We didn't anticipate it taking so long as we have had its blueprint ready for some time, but it required further scrutiny to ensure its effectiveness.

This is the final product of rigorous hands-on practice in live classroom settings. When something didn't work, we changed it; so what you have before you is our most polished version. Finally we added beautiful illustrations and, of course, our celebrated star, Joon Gi Lee's voice.

Hello Korean aims to equip language learners with a basic grasp of spoken Korean. This book utilizes authentic colloquial expressions along with clear and concise explanations of Hangeul, the Korean alphabet, and rudimentary grammar. Moreover, our guide to pronunciation will help you acquire a natural speaking voice from day one. Without paying careful attentiveness to pronunciation from the beginning, you risk adopting bad habits that will prove hard to break later.

We wish to express our gratitude to Joon Gi Lee, for not only graciously recording the listening activities you have before you, but also endorsing our book as "a well made Korean text book for basic language learners."

Are you ready to take the first step to learn the Korean langauge? It's time to study Korean with the celebrated star of *The King and the Clown*, Joon Gi Lee!

May 2010
Ji Young Park and So Young Yoo

이준기의 말

It took three years for this book to see the light. My initial response to the proposal for taking part in this book was vaguely lukewarm. Now that I see this book published and I am deeply moved and feel surreal.

I sometimes take a tour to meet fans around the world, and each time people who are not native speakers of Korean talk to me in Korean, I was flattered. I decided to take part in writing this book, hoping I could be helpful to them in any way I could be.

While participating in the project, I learned that it takes a lot of effort to publish one book. Occasionally, I would go to bed with exciting feelings when the following day was scheduled to record the audio tracks. On the day when I started recording with professional voice actors, I learned the importance of articulate pronunciation while working with them. Recording the audio track was a fresh experience even for me, who has to practice acting on a daily basis.

Writing the "이준기의 서울 소개(Joon Gi Lee's Introduction of Seoul)" section you can find between chapters gave a great chance for me to see many corners of Seoul again in a couple of years. I am grateful for the opportunity that allowed me to appreciate Seoul's beauty that I had to pass by everyday buried in my busy schedule. I hope you can also enjoy what I saw, too.

Hello Korean is not a photo album of a celebrity called Joon Gi Lee. This is a basic Korean language textbook written over three years of period by two professors whose specialties are teaching Korean language. You might be disappointed not to find Joon Gi Lee in the book frequently. Yet, I can assure you that these authors have devoted their efforts and careers, and this book surely reflects their experiences.

To those who are taking the first step to learn the Korean language, I hope *Hello Korean* becomes a book that you cherish. This will put your Korean linguistic skills on a firm ground. Who knows? We might have a chance to strike up a conversation in Korean together.

Thank you.

May 2010
Joon Gi Lee

이 책의 구성

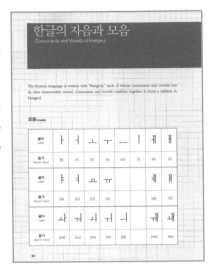

❶ Warming Up: Consonants and vowels, which are the building blocks of each syllable in the Korean writing system, are covered in this section. You will learn what letters exist and how to pronounce and write them. Come back to this section whenever you need to review these parts.

❷ Dialogue: Most commonly used expressions are woven together around a common grammatical theme. You will become more confident in speaking the Korean language by reading this section out loud as if you were having an actual conversation.

❸ Vocabulary and Expressions: New words and expressions that appear in the chapter are listed for your convenience. Relevant words are grouped together for more effective learning. Pronunciation rules for challenging words are explained separately within this section.

❹ Grammar: Essential Korean grammar points appear here. The choice of which verb forms to use is an especially challenging concept for learners of Korean, and this is explained in a straightforward manner. Verb form charts are included for you to practice and you may use them by filling in the blanks or reading them out loud.

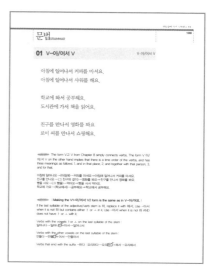

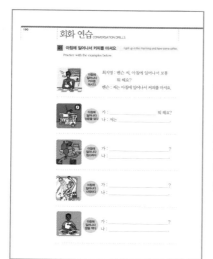

❺ Conversation: The conversation section uses newly learned words and grammar points together, and an everyday situation is presented that uses them thoroughly. Picture the context of the conversation and practice this section as if you were participating in it. Illustrations are included to help you visualize the situation.

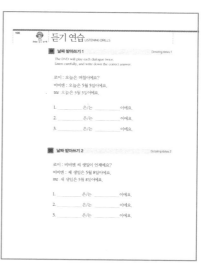

❻ Listening Practice: You can test your own comprehension of each chapter by listening to the provided DVD. First, answer the questions while listening to the DVD. Read out loud the parts where you make the most mistakes to improve your Korean proficiency quickly.

❼ Talking with Joon Gi Lee: The content of the chapter is presented comprehensively in this section with various forms of conversations. Listen to the DVD and practice each conversation as if you were talking directly with Joon Gi Lee.

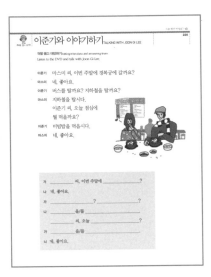

❽ Special: More useful expressions are listed in a form of illustrated word cards in this section. Use them as flash cards to help you learn and review the new words from each chapter.

이 책의 장점

1. Easy for self-teaching students

A lot of effort was given to make explanations easy enough for self-teaching students while focusing on basic vocabulary and expressions, challenging grammar points, as well as pronunciation rules encountered when learning Korean for the first time.

2. The book is organized in such a way that learners could comprehend very easily and form solid understanding.

The authors have put many years of their expertise in teaching Korean effectively to foreigners into this book. The verb form charts and explanations in the book are what they have found to be most effective while teaching.

3. We cover the contemporary Korean language that Koreans most commonly use in every day situations.

The book has frequently used expressions that beginners can easily understand, and we have crafted conversations in various situations that use the expressions in patterns. Learn these expressions and try them with Koreans you meet.

4. Enjoy studying Korean with Joon Gi Lee, a Korean Wave celebrity.

Learning becomes more fun and exciting when the soundtrack is recorded by your favorite actor. So, practicing conversations in Korean with Joon Gi Lee will be a rewarding experience for you.

5. Each language edition has been modified to suit the needs of learners who speak different languages.

This book is published in various editions: Korean, Chinese, Japanese and English. Choose the right edition for you.

6. Illustrated cards grouped by topics are included to help you learn vocabulary and expressions systematically.

In learning a second language, it is essential to compare related words, expressions, verb forms, as well as word endings. Illustrated cards on the "Special" pages will help you learn many aspects of the Korean language comprehensively.

등장인물

최지영   이준기   리리   왕샤우이   비비엔   퍼디

1 **Ji Young Choi**

Korea

21

University Student

2 **Joon Gi Lee**

Korea

28

Movie Actor

3 **Lili**

China

24

Reporter

4 **Wangshaowei**

China

24

Police Officer

5 **Vivien**

Germany

20

Exchange Student

6 **Ferdy**

the Philippines

23

University Student

스테파니 로베르토 다이애나 로이 마스미 벤슨

7 **Stephanie**

Australia

23

Office Worker

8 **Roberto**

Spain

30

Researcher

9 **Diana**

the Ivory Coast

19

University Student

10 **Roy**

Hong Kong

27

Doctor

11 **Masumi**

Japan

30

Chef

12 **Benson**

Kenya

25

Soccer Player

Contents

학습 구성표

	CHAPTERS	KEY POINTS	GRAMMAR
	준비 운동 Warming up	한글의 자음과 모음 Consonants and vowels of Hangeul 한글의 발음 규칙 Pronunciation rules in Hangeul	
1과	안녕하세요? Hello!	자기소개하기 Introducing yourself	· N은/는 N입니다 · N이/가 무엇입니까? · 제 N
2과	이것은 무엇입니까? What is this?	사물 묻고 답하기 Asking questions on objects and answering them	· 지시 대명사 (이것/그것/저것/무엇) · N은/는 N입니까? · 네, N입니다 · 아니요, N이/가 아닙니다
3과	이 라면은 한 개에 얼마예요? How much does this packet of noodles cost?	물건 사기 Shopping	· 이/그/저 N · N예요/이에요 · N이/가 아니에요 · N하고 N · N에
4과	오늘은 며칠이에요? What is the date today?	날짜와 요일 말하기 Asking date, day of the week and specific days (birthdays)	· N은/는 며칠이에요? · N이/가 언제예요? · N은/는 무슨 N예요/이에요?
5과	지금 몇 시예요? What time is it now?	시간 묻고 답하기 Asking time and answering it	· 시간 읽기 · N부터 N까지
6과	우리 집은 신촌에 있어요 My home is in Shinchon.	위치 말하기 Describing a location	· 여기/거기/저기/어디 · N이/가 어디에 있어요? · N은/는 N에 있어요
7과	저는 오늘 영화를 봅니다 I am watching a movie today.	일정 묻고 답하기 Asking question on schedule and answering it	· N을/를 V-ㅂ습니까? · N을/를 V-ㅂ습니다 · N을/를 V-지 않습니다 · N에(시간의 '에') · N도

VOCABULARY AND EXPRESSIONS	PRONUNCIATION	SPECIAL
인사Greeting　나라Countries 직업Occupations　취미Hobbies	비음화 Nasalization	인사하기 Greeting
생활필수품Daily necessities 음식 이름Food names	연음 법칙 Liaison (Linking)	지시 대명사 (이~/그~/저~/어느~) Demonstrative pronouns This-/That-/That-/Which-
단위Counting units 숫자Numbers　식품Foods 생활필수품Daily necessities .	경음화 Fortis	돈 Money
날짜Date 요일Day of the week	연음 법칙 Liaison (Linking)	달력·요일 읽기 Reading the day of the week on a calendar
시간Time 공공 기관Public institution	경음화 Fortis	
위치Location 장소Places		
동사 1, 2, 3-기본 동사 Verb 1, 2, 3-Basic verbs	비음화 Nasalization	

Consonants and Vowels of Hangeul
Pronunciation Rules in Hangeul

HELLO ~
KOREAN

한글의 자음과 모음
한글의 발음 규칙

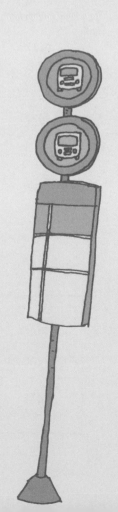

한글의 자음과 모음
Consonants and Vowels of Hangeul

The Korean language is written with "Hangeul," each of whose consonants and vowels has its own characteristic sound. Consonants and vowels combine together to form a syllable in Hangeul.

모음 Vowels

글자 Letter	ㅏ	ㅓ	ㅗ	ㅜ	ㅡ	ㅣ	ㅔ	ㅐ
음가 Sound Value	[a]	[ʌ]	[o]	[u]	[ɯ]	[i]	[e]	[ɛ]
글자 Letter	ㅑ	ㅕ	ㅛ	ㅠ			ㅖ	ㅒ
음가 Sound Value	[ja]	[jʌ]	[jo]	[ju]			[je]	[jɛ]
글자 Letter	ㅘ	ㅝ	ㅚ	ㅟ	ㅢ		ㅞ	ㅙ
음가 Sound Value	[wa]	[wʌ]	[we]	[wi]	[ɯi]		[we]	[wɛ]

자음 Consonants

글자 Letter	ㄱ	ㄴ	ㄷ	ㄹ	ㅁ	ㅂ	ㅅ	ㅇ	ㅈ	ㅎ
음가 Sound Value	[k]	[n]	[t]	[l]	[m]	[p]	[s]	[ŋ]	[ts]	[h]

글자 Letter	ㅋ		ㅌ			ㅍ			ㅊ	
음가 Sound Value	[kʰ]		[tʰ]			[pʰ]			[tsʰ]	

글자 Letter	ㄲ		ㄸ			ㅃ	ㅆ		ㅉ	
음가 Sound Value	[k']		[t']			[p']	[s']		[ts']	

한글의 모음도 Vowel chart

In Hangeul, there are eight fundamental short vowels, which are ㅏ, ㅓ, ㅗ, ㅜ, ㅡ, ㅣ, ㅔ, ㅐ and thirteen double vowels, namely, ㅑ, ㅕ, ㅛ, ㅠ, ㅒ, ㅖ, ㅘ, ㅙ, ㅚ, ㅝ, ㅞ, ㅟ, ㅢ. The picture below shows the location of the tongue when articulating each of the short vowels.

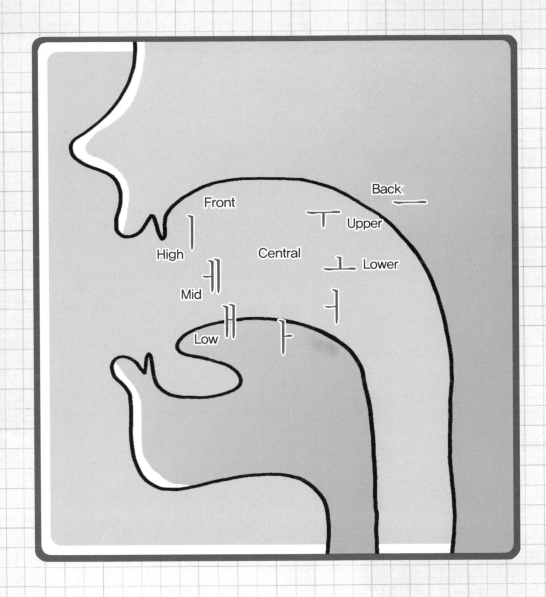

01 단모음

(1) 발음하기|Pronunciation

Listen and repeat.

Vowel	Phonetic Alphabet	Shape of the Mouth	How to Pronounce
ㅏ	[a]		Open your mouth wide and vocalize.
ㅓ	[ʌ]		Relax your mouth more than when pronouncing the sound "ㅗ" and vocalize. The gap between your upper and lower lips should be about an inch.
ㅗ	[o]		Shrink your mouth as much as possible and vocalize.
ㅜ	[u]		Shrink your mouth as much as possible and vocalize.
ㅡ	[ɯ]		Pull your lips to the both sides of your mouth unlike as in "ㅜ" and vocalize.
ㅣ	[i]		Flatten and widen your lips and vocalize.
ㅔ	[e]		Make the gap between your upper and lower lips half an inch and vocalize.
ㅐ	[ɛ]		Make your mouth wider open than as in "ㅔ" and vocalize.

(2) 쓰기 Writing

Write each of the following vowels in the correct stroke order.

ㅏ	ㅏ	ㅏ			ㅏ	
ㅓ	ㅓ	ㅓ				
ㅗ	ㅗ	ㅗ				
ㅜ	ㅜ	ㅜ				
ㅡ	ㅡ					
ㅣ	ㅣ					
ㅔ	ㅔ	ㅔ	ㅔ			
ㅐ	ㅐ	ㅐ	ㅐ			

(3) 연습 Practice

Listen and repeat the words out loud.

1) 아이 [아이/ai] child/kid

오이 [오이/oi] cucumber

2) 아우 [아우/au] younger brother

애 [애:/ɛ:] the shortened form of "아이"

1) 자음 1 Consonants 1

(1) 발음하기 Pronunciation

Listen and repeat.

ㄱ	가구 [가구/kagu] furniture	고기 [고기/kogi] meat	가다 [가다/kada] to go
ㄴ	나 [나/na] I/my/me	노루 [노루/noru] roe deer	노래 [노래/norɛ] song
ㄷ	다리 [다리/tari] leg/bridge	구두 [구두/kudu] shoe	두 개 [두: 개/tu:gɛ] two pieces
ㄹ	오리 [오:리/o:ri] duck	라디오 [라디오/radio] radio	우리 [우리/uri] we/our/us

(2) 쓰기 Writing

Write each of the following consonants in the correct stroke order.

ㄱ	ㄱ				
ㄴ	ㄴ				
ㄷ	ㄷ	ㄷ			
ㄹ	ㄹ	ㄹ	ㄹ		

(3) 음절 Syllables

Combine vowels and consonants to construct syllables in the following chart. For letters below, consonants are located on the left and vowels are either on the right or below.

Vowels / Consonants	ㅏ	ㅓ	ㅗ	ㅜ	ㅡ	ㅣ	ㅔ	ㅐ
ㄱ	가	거	고				게	
ㄴ	나				느			
ㄷ		더				디		
ㄹ				루				래

A single vowel can constitute a syllable by itself but then its shape does not qualify as a valid syllable. The solution is to append ㅇ in front of the vowel. But, this ㅇ signifies that the consonant is empty as in the word 오이 and hence it has no sound value.

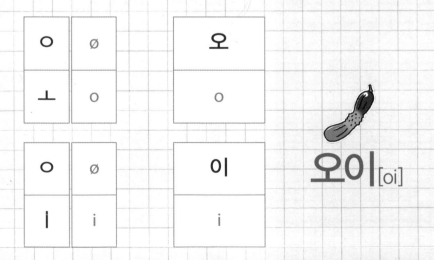

오이[oi]

(4) 연습 Practice

Listen and repeat the words below.

1) 거기[거기/kʌgi] there   누나[누나/nuna] older sister

2) 어디[어디/ʌdi] where   나가다[나가다/nagada] to go out (from a place)

3) 나라[나라/nara] country   내리다[내리다/nɛrida] to get off (a vehicle)

2) 자음 2 Consonants 2

(1) 발음하기 Pronunciation

Listen and repeat.

ㅁ	 머리 [머리/mʌri] head	모자 [모자/modza] hat	무 [무ː/muː] radish
ㅂ	배 [배/pɛ] ship	바다 [바다/pada] sea	비누 [비누/pinu] soap
ㅅ	소 [소/so] cow	사다 [사다/sada] to buy	새 [새ː/sɛː] bird
ㅈ	자 [자ː/tsaː] ruler	아주머니 [아주머니/adzumʌni] mistress	지도 [지도/tsido] map
ㅎ	해 [해/hɛ] the sun	지하 [지하/tsiɦa] basement	허리 [허리/hʌri] waist

(2) 쓰기 Writing

Write each of the following consonants in the correct stroke order.

ㅁ	ㅁ	ㅁ	ㅁ	ㅁ	ㅁ	ㅁ
ㅂ	ㅂ	ㅂ	ㅂ	ㅂ		
ㅅ	ㅅ	ㅅ	ㅅ	ㅅ	ㅅ	
ㅈ	ㅈ	ㅈ	ㅈ	ㅈ	ㅈ	
ㅎ	ㅎ	ㅎ	ㅎ	ㅎ	ㅎ	

(3) 음절 Syllables

Combine the following consonants and vowels.

Vowels / Consonants	ㅏ	ㅑ	ㅓ	ㅕ	ㅗ	ㅛ	ㅜ	ㅠ	ㅡ	ㅣ
ㅁ				며			무			
ㅂ		뱌							브	
ㅅ	사							슈		ㅅ
ㅈ					조					지
ㅎ	하		허		효					

28

(4) 연습Practice

Listen and repeat the words below.

1) 나무[나무/namu] tree   어머니[어머니/ʌmʌni] mother

   부부[부부/pubu] married couple   나비[나비/nabi] butterfly

2) 사이[사이/sai] gap/opening   소나무[소나무/sonamu] pine tree

   서다[서다/sʌda] to stand   수고[수고/sugo] effort

3) 호수[호수/hosu] lake   흐리다[흐리다/hɯrida] overcast

   휴지[휴지/hjudzi] tissue   하마[하마/hama] hippo

3) 자음 3Consonants 3

(1) 발음하기Pronunciation

Listen and repeat.

ㅊ		차 [차/tsʰa] car		고추 [고추/kotsʰu] chilli pepper		치마 [치마/tsʰima] skirt
ㅋ		코 [코/kʰo] nose		키 [키/kʰi] height		크다 [크다/kʰɯda] big
ㅌ		타조 [타ː조/tʰaːdzo] ostrich		투수 [투수/tʰusu] pitcher		도토리 [도토리/totʰori] acorn
ㅍ		포도 [포도/pʰodo] grapes		파 [파/pʰa] leek		파도 [파도/pʰado] wave

(2) 쓰기 Writing

Write each of the following consonants in the correct stroke order.

ㅊ	ㅊ	ㅊ	ㅊ			
ㅋ	ㅋ	ㅋ				
ㅌ	ㅌ	ㅌ	ㅌ			
ㅍ	ㅍ	ㅍ	ㅍ	ㅍ		

(3) 음절 Syllables

Combine the consonants and vowels below. The vowels ㅏ, ㅓ, ㅣ, ㅔ and ㅐ come on the right of the consonant, and the vowels ㅗ, ㅜ and ㅡ below the consonant.

Vowels / Consonants	ㅏ	ㅑ	ㅓ	ㅕ	ㅗ	ㅛ	ㅜ	ㅠ	ㅡ	ㅣ
ㅊ			처				추			
ㅋ		캬								크
ㅌ					토					티
ㅍ	파						표			

(4) 연습 Practice

Listen and repeat the words below.

1) 채소 [채:소/tsʰɛ:so] vegetable
2) 커피 [커피/kʰʌpʰi] coffee
3) 우표 [우표/upʰjo] post stamp

우체국 [우체국/utsʰeguk] post office
카메라 [카메라/kʰamera] camera
스피커 [스피커/sɯpʰikʰʌ] speaker

4) 자음 4 Consonants 4

(1) 발음하기 Pronunciation

Listen and repeat.

ㄲ	까치 [까치/k'atsʰi] magpie	토끼 [토끼/tʰok'i] rabbit	꼬리 [꼬리/k'ori] tail
ㄸ	띠 [띠/t'i] band	따다 [따다/t'ada] to pick off	뜨다 [뜨다/t'ɯda] to weave
ㅃ	뿌리 [뿌리/p'uri] root	뽀뽀 [뽀뽀/p'op'o] kiss	바쁘다 [바쁘다/pap'ɯda] busy
ㅆ	쓰다 [쓰다/s'ɯda] to write	비싸다 [비싸다/pis'ada] expensive	아가씨 [아가씨/agac'i] damsel
ㅉ	찌개 [찌개/ts'igɛ] Korean stew	짜다 [짜다/ts'ada] to wring	버찌 [버찌/pʌts'i] cherry

(2) 음절 Syllables

Combine the following consonants and vowels.

Consonants \ Vowels	ㅏ	ㅑ	ㅓ	ㅕ	ㅗ	ㅛ	ㅜ	ㅠ	ㅡ	ㅣ
ㄲ			꺼				꾸			
ㄸ	따									띠
ㅃ				뼈					쁘	
ㅆ			써				쑤			
ㅉ					쪼					찌

(3) 연습 Practice

Listen and repeat the words below.

1) 꼬마 [꼬마/k'oma] kid 　바꾸다 [바꾸다/pak'uda] to change

　따다 [따다/t'ada] to pick off 　떠나다 [떠나다/t'ʌnada] to leave

2) 아빠 [아빠/ap'a] dad 　빠르다 [빠르다/p'arɯda] fast

　쏘다 [쏘:다/s'o:da] to shoot 　쓰러지다 [쓰러지다/s'ɯrʌdzida] to fall down

3) 짜다 [짜다/ts'ada] to wring 　찌르다 [찌르다/ts'irɯda] to pierce

　가짜 [가짜/kats'a] fake

(1) 발음하기 Pronunciation

ㅒ	얘기 [얘:기/jɛ:gi] talking		
ㅖ	폐 [폐/페/pʰje/pʰe] lung	시계 [시계/시게/ ɕigje/ɕige] clock	
ㅘ	사과 [사과/sagwa] apple	화가 [화가/hwaga] painter	
ㅙ	왜 [왜/wɛ] why	돼지 [돼:지/twɛ:dzi] pig	
ㅚ	외투 [웨:투/we:tʰu] coat	최고 [췌:고/tsʰwe:go] best	회사 [훼사/hwesa] company
ㅝ	더워요 [더워요/tʌwʌjo] It is hot.	추워요 [추워요/tsʰuwʌjo] It is cold.	무거워요 [무거워요/ mugʌwʌjo] It is heavy.
ㅞ	궤도 [궤:도/kwe:do] orbit		
ㅟ	위 [위/y/wi] above	귀 [귀/ky/kwi] ear	뒤 [뒤:/ty:/twi:] behind
ㅢ	의사 [의사/ɰisa] doctor	의자 [의사/ɰidza] chair	회의 [훼이/hwei] conference

(2) 쓰기|Writing

Write each of the following double vowels in the correct stroke order.

ㅒ	ㅒ	ㅒ	ㅒ	ㅒ		
ㅖ	ㅖ	ㅖ	ㅖ	ㅖ		
ㅘ	ㅘ	ㅘ	ㅘ	ㅘ		
ㅙ	ㅙ	ㅙ	ㅙ	ㅙ	ㅙ	
ㅚ	ㅚ	ㅚ	ㅚ			
ㅝ	ㅝ	ㅝ	ㅝ	ㅝ		
ㅞ	ㅞ	ㅞ	ㅞ	ㅞ	ㅞ	
ㅟ	ㅟ	ㅟ	ㅟ			
ㅢ	ㅢ	ㅢ				

(3) 연습|Practice

Listen and repeat the words below.

1) 예의[예이/jei] courtesy   세계[세:계/세:게/se:gje/se:ge] world

2) 봐요[봐:요/pwa:jo] Have a look.   괴로워요[궤로워요/kwerowʌjo] It is agonizing.

3) 쉬다[쉬:다/ʃy:da/ʃwi:da] to rest   의미[의미/ɯjimi] meaning

34

Let's learn syllables that consist of an initial consonant, a medial vowel, and then a final consonant. The final consonant is called 받침(read as *baht-chim*), and is put below the combined set of the initial consonant and medial vowel.

(1) 발음하기 Pronunciation

Listen and repeat.

ㄱ, ㅋ, ㄲ [k]	책 [책/tsʰɛk] book	부엌 [부억/puʌk] kitchen	낚시 [낙씨/nakɕ'i] fishing
ㄴ [n]	눈 [눈/nun] eye	산 [산/san] mountain	돈 [돈ː/toːn] money
ㄷ, ㅅ, ㅈ [t] ㅊ, ㅌ, ㅎ	걷다 [걷ː따/kəː(t)t'a] to walk	빗 [빋/pit] comb	낮 [낟/nat] daytime
	꽃 [꼳/k'ot] flower	밭 [받/pat] farm	ㅎ [히읃/hiɯt] alphabet ㅎ
ㄹ [l]	달 [달/tal] moon	발 [발/pal] foot	팔 [팔/pʰal] arm
ㅁ [m]	곰 [곰ː/koːm] bear	밤 [밤/pam] night	엄마 [엄마/ʌmma] mom

ㅂ ㅍ [p]	집 [집/tsip] house	앞 [압/ap] front	무릎 [무릅/murɯp] knee
ㅇ [ŋ]	강 [강/kaŋ] river	공 [공:/koːŋ] ball	창문 [창문/tsʰaŋmun] window

(2) 연습 Practice

Listen and repeat the words below.

1) 벽[벽/pjʌk] wall
   깎다[깍따/kʼaktʼa] to cut

2) 곧[곧/kot] soon
   벚[벋/pʌt] cherry blossom
   끝[끋/kʼɯt] end

3) 알다[알:다/aːlda] to know
   밥[밥/pap] steamed rice
   공장[공장/koŋdzaŋ] factory

남녘[남녁/namɲʌk] southern direction
문[문/mun] door
낫[낟/nat] sickle
빛[빋/pit] light

몸[몸/mom] body
잎[입/ip] leaf

한글의 발음 규칙
Pronunciation Rules in Hangeul

There are many pronunciation rules in the Korean language. Learn them by heart and practice your pronunciation.

01 연음 법칙 Liaison (Linking)

When a syllable ends with a final consonant and is followed by a medial vowel, then the final consonant is pronounced as the initial consonant of the following syllable.

Letter (Pronunciation)	Letter (Pronunciation)	Letter (Pronunciation)
꽃이 [꼬치/k'otsʰi]	옷을 [오슬/osɯl]	먹어요 [머거요/mʌgʌjo]
밥이 [바비/pabi]	부엌에 [부어케/puʌkʰe]	닫아요 [다다요/tadajo]
문어 [무너/munʌ]	마음에 [마으메/maɯme]	살아요 [사라요/sarajo]

An obstruent sound is a consonant formed by obstructing outword airflow, hence causing an increased air pressure in the vocal tract. When this obstruent sound is used as a final consonant, then it turns into a plosive, which is a speech sound made by stopping the flow of air coming out of the mouth and then suddenly releasing it, as [t] and [p] in the word "top."

For example, velars, or a speech sound made by placing the back of the tongue against or near the back part of the mouth, such as in ㄱ, ㄲ and ㅋ are articulated as ㄱ. Words such as 국[국], 밖[박] and 부엌[부억] are good examples.

Letter	Pronunciation	Example
ㄱ, ㅋ, ㄲ	[k]	국, 부엌, 밖
ㄷ, ㅅ, ㅆ, ㅈ, ㅊ, ㅌ, ㅎ	[t]	곧, 다섯, 갔다, 빗, 빛, 끝, 히읗
ㅂ, ㅍ	[p]	밥, 숲

03   겹받침 단순화   Simplification of final double consonants

The Korean language has eleven final double consonants, namely ㄳ, ㄵ, ㄶ, ㄺ, ㄻ, ㄼ, ㄽ, ㄾ, ㄿ, ㅀ and ㅄ. However, only seven final consonants are pronounced, which are ㄱ, ㄴ, ㄷ, ㄹ, ㅁ, ㅂ and ㅇ. These final double consonants lose either the initial consonant or the second when pronounced. The rules are as follows:

(1) 첫소리만 발음되는 경우 The first consonant is pronounced and the second is not

In the case of the final double consonants of ㄳ, ㄵ, ㄹ, ㄾ and ㅄ, only the initial consonants are pronounced and the second ones are not.

Letter (Pronunciation)	Letter (Pronunciation)	Letter (Pronunciation)
넋 [넉/nʌk]	앉다 [안따/ant'a]	외곬 [웨골/wegol]
핥다 [할따/halt'a]	값 [갑/kap]	몫 [목/mok]

(2) 첫소리는 그대로 발음되고 둘째 소리는 바뀌는 경우 The first consonant is pronounced and the second transforms

In the case of the final double consonants like ㄶ and ㅀ, the first consonant is pronounced, and the second consonant ㅎ combined with ㄱ, ㄷ and ㅈ turn to ㅋ, ㅌ and ㅊ. If ㅅ or ㄴ follows the final double consonant, the ㅎ is omitted.

Letter (Pronunciation)	Letter (Pronunciation)	Letter (Pronunciation)
많고 [만ː코/maːnkʰo]	많다 [만ː타/maːntʰa]	많지 [만ː치/maːntsʰi]
싫고 [실코/ɕilkʰo]	싫다 [실타/ɕiltʰa]	싫지 [실치/ɕiltsʰi]
많소 [만ː쏘/maːns'o]	많네 [만ː네/maːnne]	
뚫소 [뚤쏘/t'uls'o]	뚫네 [뚤레/t'ulle]	

(3) 둘째 소리만 발음되는 경우 The first consonant is not pronounced but the second consonant is

In the case of the final double consonants like ㄻ and ㄿ, the first consonants are not pronounced but the second ones are articulated.

Letter (Pronunciation)	Letter (Pronunciation)	Letter (Pronunciation)
삶 [삼:/sa:m]	굶다 [굼:따/ku:mt'a]	젊다 [점:따/tsə:mt'a]
읊다 [읍따/ɯpt'a]	읊지 [읍찌/ɯpts'i]	읊고 [읍꼬/ɯpk'o]

(4) 첫소리만 발음되거나 둘째 소리만 발음되는 경우 Either the first or the second consonant is pronounced (exception to the rules)

The above rules dictate that ㅂ and ㄱ be omitted in the case of ㄼ and ㄺ and only ㄹ is articulated. Yet, as in the words of 밟다, 넓죽하다 or 넓둥글다, it is accepted as the standard to have ㄹ omitted and only the ㅂ part articulated.

Letter (Pronunciation)	Letter (Pronunciation)	Letter (Pronunciation)
여덟 [여덜/jʌdʌl]	짧다 [짤따/ts'alt'a]	짧고 [짤꼬/ts'alk'o]
넓다 [널따/nʌlt'a]	넓지 [널찌/nʌlts'i]	넓고 [널꼬/nʌlk'o]
밟다 [밥:따/pa:pt'a]	밟지 [밥:찌/pa:pts'i]	밟고 [밥:꼬/pa:pk'o]

According to the rules just mentioned, in the case of the double consonant ㄹㄱ, the first consonant ㄹ is removed and the second consonant ㄱ is articulated. However, if the syllable is followed by the consonant ㄱ, then the first consonant ㄹ is articulated and the second consonant ㄱ is omitted.

Letter (Pronunciation)	Letter (Pronunciation)	Letter (Pronunciation)	Letter (Pronunciation)
읽다 [익따/ikt'a]	읽지 [익찌/ikts'i]	읽고 [일꼬/ilk'o]	읽게 [일께/ilk'e]
맑다 [막따/makt'a]	맑지 [막찌/makts'i]	맑고 [말꼬/malk'o]	맑게 [말께/malk'e]

04 비음화

(1) 장애음의 비음화 Nasalization of an obstruent

The plosives ㅂ, ㄷ and ㄱ become ㅁ, ㄴ and ㅇ before nasal vowels ㄴ, ㅁ or ㅇ. The final consonants ㅂ, ㄷ and ㄱ each become ㅁ, ㄴ and ㅇ before nasal vowels ㄴ, ㅁ or ㅇ.

Letter (Pronunciation)	Letter (Pronunciation)	Letter (Pronunciation)
앞마당 [암마당/ammadaŋ]	믿는다 [민는다/minnɯnda]	한국말 [한ː궁말/ha:nguŋmal]
입는 [임는/imnɯn]	있는 [인는/innɯn]	학년 [항년/haŋnʌn]

(2) 유음의 비음화Nasalization of liquid sounds

The liquid sound ㄹ is articulated as ㄴ in front of all the consonants other than ㄴ and ㄹ.

Letter (Pronunciation)	Letter (Pronunciation)	Letter (Pronunciation)
심리 [심니/ɕimɲi]	정류장 [정뉴장/tsʌŋɲudzaŋ]	등록금 [등노끔/tɯŋnokʼum]
염려 [염녀/jʌmɲʌ]	국립 [궁닙/kuŋɲip]	대학로 [대항노/tɕhaŋno]

05 경음화 Fortis

After an obstruent, the initial consonants ㄱ, ㄷ, ㅂ, ㅅ and ㅈ turn to fortis ㄲ, ㄸ, ㅃ, ㅆ and ㅉ.

Letter (Pronunciation)	Letter (Pronunciation)	Letter (Pronunciation)
학교 [학꾜/hakkʼjo]	반다 [반따/pa(t)tʼa]	꽃밭 [꼳빧/kʼotpʼat]
국수 [국쑤/kuksʼu]	국자 [국짜/kuktsʼa]	책상 [책쌍/tsʰɛksʼaŋ]

06   격음화   Aspiration

Before or after ㅎ, the consonants ㄱ, ㄷ, ㅂ and ㅈ combine with the ㅎ and turn to the aspiration consonants ㅋ, ㅌ, ㅍ and ㅊ.

Letter (Pronunciation)	Letter (Pronunciation)	Letter (Pronunciation)	Letter (Pronunciation)
국화 [구콰/kukʰwa]	맏형 [마텽/matʰjʌŋ]	입학 [이팍/ipʰak]	앉히다 [안치다/antsʰida]
놓고 [노코/nokʰo]	놓다 [노타/notʰa]	놓지 [노치/notsʰi]	많다 [만ː타/maːntʰa]

07   구개음화   Palatalization

The final consonants ㄷ and ㅌ turn to ㅈ and ㅊ when followed by inflection morphemes that start with 이 or 히.

Letter (Pronunciation)	Letter (Pronunciation)	Letter (Pronunciation)
굳이 [구지/kudzi]	맏이 [마지/madzi]	해돋이 [해도지/hɛdodzi]
같이 [가치/katsʰi]	끝이 [끄치/k'ɯtsʰi]	굳히다 [구치다/kutsʰida]

The final consonant ㅎ is omitted before a word that starts with a vowel.

Letter (Pronunciation)	Letter (Pronunciation)	Letter (Pronunciation)
좋아요 [조:아요/tso:ajo]	좋은 [조:은/tso:ɯn]	좋을 [조:을/tso:ɯl]
많아요 [마:나요/ma:najo]	많은 [마:는/ma:nɯn]	많을 [마:늘/ma:nɯl]

사 전 찾 기 How to use a Korean Dictionary

Listing order of words in Korean Dictionary.

1	초성 Initial Consonant	ㄱ ㄲ ㄴ ㄷ ㄸ ㄹ ㅁ ㅂ ㅃ ㅅ ㅆ ㅇ ㅈ ㅉ ㅊ ㅋ ㅌ ㅍ ㅎ
2	중성 Medial Vowel	ㅏ ㅐ ㅑ ㅒ ㅓ ㅔ ㅕ ㅖ ㅗ ㅘ ㅙ ㅚ ㅛ ㅜ ㅝ ㅞ ㅟ ㅠ ㅡ ㅢ ㅣ
3	종성(받침) Final Consonant	ㄱ ㄲ ㄳ ㄴ ㄵ ㄶ ㄷ ㄹ ㄺ ㄻ ㄼ ㄽ ㄾ ㄿ ㅀ ㅁ ㅂ ㅄ ㅅ ㅆ ㅇ ㅈ ㅊ ㅋ ㅌ ㅍ ㅎ

모음 Vowels

글자 Letter	ㅏ	ㅓ	ㅗ	ㅜ	ㅡ	ㅣ	ㅔ	ㅐ
음가 Sound Value	[a]	[ʌ/ə:]	[o]	[u]	[ɯ]	[i]	[e]	[ɛ]

글자 Letter	ㅑ	ㅕ	ㅛ	ㅠ			ㅖ	ㅒ
음가 Sound Value	[ja]	[jʌ/jə:]	[jo]	[ju]			[je]	[jɛ]

글자 Letter	ㅘ	ㅝ	ㅚ	ㅟ	ㅢ		ㅞ	ㅙ
음가 Sound Value	[wa]	[wʌ]	[we]	[y/wi]	[ɰi/i]		[we]	[wɛ]

자음 Consonants

글자 Letter		ㄱ	ㄴ	ㄷ	ㄹ	ㅁ	ㅂ	ㅅ	ㅇ	ㅈ	ㅎ
음가 Sound Value	첫소리 First Phoneme	[k]	[n/ɲ]	[t]	[r]	[m]	[p]	[s/ɕ/ʃ]	–	[ts]	[h]
	어중 Middle Phoneme	[g]	[n/ɲ]	[d]	[r/l/ʌ]	[m]	[b]	[s/ɕ/ʃ]	–	[dz]	[h]
	받침 Final Phoneme	[k]	[n]	[t]	[l]	[m]	[p]	[t]	[ŋ]	[t]	[t]

글자 Letter		ㅋ	ㅌ	ㅍ	ㅊ
음가 Sound Value	첫소리 First Phoneme	[kʰ]	[tʰ]	[pʰ]	[tsʰ]
	어중 Middle Phoneme	[kʰ]	[tʰ]	[pʰ]	[tsʰ]
	받침 Final Phoneme	[k]	[t]	[p]	[t]

글자 Letter		ㄲ	ㄸ	ㅃ	ㅆ	ㅉ
음가 Sound Value	첫소리 First Phoneme	[k']	[t']	[p']	[s'/ɕ']	[ts']
	어중 Middle Phoneme	[k']	[t']	[p']	[s'/ɕ']	[ts']
	받침 Final Phoneme	[k]	–	–	[t]	–

* A middle phoneme is the initial sound on the second syllable.

본문

한｜국｜어｜기｜초｜회｜화

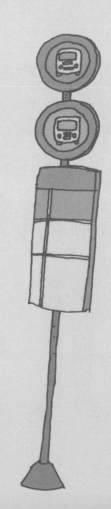

안녕하세요? Hello!

Chapter Goals

SITUATION
Introducing yourself
VOCABULARY
Greeting
Countries
Occupations
Hobbies
GRAMMAR
N은/는 N입니다
N이/가 무엇입니까?
제 N

DVD로 들어 보세요

최지영	안녕하세요?
로 이	안녕하십니까?
최지영	제 이름은 최지영입니다.
로 이	제 이름은 로이입니다.
최지영	저는 한국 사람입니다.
	로이 씨는 어느 나라 사람입니까?
로 이	저는 홍콩 사람입니다.
최지영	만나서 반갑습니다.
로 이	만나서 반갑습니다.

▼
Koreans bend their upper body by about 45 degrees when greeting people senior to them. If only the phrase "안녕하세요?" is uttered and is not accompanied by this gesture, or if simply hands are waved, the person could be considered rude. Among closer acquaintances, phrases like "식사 하셨어요?" or "밥 먹었어요?" are frequently used.

이름은[이르믄/irɯmɯn]　안녕하십니까[안녕하심니까/anɲʌŋɦaɕimɲik'a]
사람입니다[사:라밈니다/sa:ramimɲida]　반갑습니다[반갑씀니다/pangaps'ɯmɲida]

DVD로 들어 보세요

어휘와 표현 VOCABULARY AND EXPRESSIONS

01 인사 Greeting

안녕하세요? Hello

안녕하십니까? Hello

만나서 반갑습니다 Nice to meet you

For more information on how to greet, turn to pages. 60–61.

02 나라 Countries

한국

중국

일본

미국

호주

프랑스

캐나다

독일

필리핀

스페인

코트디부아르

케냐

홍콩

이탈리아

러시아

멕시코

03 직업   Occupations

선생님   teacher   학생   student   의사   doctor

경찰관   police officer   요리사   chef/cook   영화배우   movie actor

04 취미   Hobbies

야구   baseball   요리   cooking   축구   soccer

독서   book reading   태권도   taekwondo

영화 감상   movie watching

05 기타   Others

네   Yes   이름   name

어느 나라 사람입니까?   What country are you from?

발 음 규 칙 PRONUNCIATION RULES   비음화 Nasalization

ㅂ, ㄷ and ㄱ as the final consonants become ㅁ, ㄴ and ㅇ in front of nasal vowels such as ㄴ, ㅁ and ㅇ.

안녕하십니까 ⇒ [안녕하심니까]
ㅂ + ㄴ ⇒ ㅁ + ㄴ

반갑습니다[반갑씀니다/pangaps'ɯmɲida]   최지영입니다[췌지영임니다/tsʰwedzijʌɲimɲida]

무엇입니까[무어심니까/muʌɕimɲik'a]   사람입니다[사:라밈니다/sa:ramimɲida]

문법GRAMMAR

01 N은/는 N입니다

N is N

The Korean language uses particles extensively. The choice of the particle is affected by whether the word has a final consonant or not. For example, N은, is used in the case that there is a final consonant and N는 otherwise.

제 이름은 최지영입니다.

저는 한국 사람입니다.

저는 학생입니다.

02 N이/가 무엇입니까?

Wthat is N?

When there is a final consonant on the last syllable of a noun, N이 is used, and N가 otherwise.

이름이 무엇입니까?

직업이 무엇입니까?

취미가 무엇입니까?

03 제 N

My N (polite)

제 이름은 스테파니입니다.

제 취미는 야구입니다.

제 직업은 의사입니다.

04 N 사람

A person from N

In order to specify the nationality of a person, append the word –사람 to the name of the country as in: 한국 사람, 중국 사람, 일본 사람, 호주 사람.

한국 사람   중국 사람

일본 사람   미국 사람

05 N 씨

Mr./Ms./Mrs. N

최지영 씨   이준기 씨

스테파니 씨   왕샤위 씨

회화 연습 CONVERSATION DRILLS

01 이름이 무엇입니까?

Practice with the examples below.

최지영

가 : 이름이 무엇입니까?
나 : 제 이름은 최지영입니다.

로베르토

가 : 이름이 무엇입니까?
나 : 제 이름은 ＿＿＿＿＿＿＿＿＿입니다.

리리

가 : ＿＿＿＿＿＿＿＿＿＿＿＿?
나 : ＿＿＿＿＿＿＿＿＿＿＿＿.

퍼디

가 : ＿＿＿＿＿＿＿＿＿＿＿＿?
나 : ＿＿＿＿＿＿＿＿＿＿＿＿.

마스미

가 : ＿＿＿＿＿＿＿＿＿＿＿＿?
나 : ＿＿＿＿＿＿＿＿＿＿＿＿.

02 어느 나라 사람입니까?　　　　　　　　　　What country are you from?

Practice with the examples below.

독 일 　비비엔

가 : 어느 나라 사람입니까?
나 : 저는 독일 사람입니다.

홍 콩 　로이

가 : 어느 나라 사람입니까?
나 : 저는 ＿＿＿＿＿＿＿ 사람입니다.

중 국 　왕샤위

가 : ＿＿＿＿＿＿＿＿＿＿＿＿?
나 : 저는 ＿＿＿＿＿＿＿＿＿＿.

일 본 　마스미

가 : ＿＿＿＿＿＿＿＿＿＿＿＿?
나 : 저는 ＿＿＿＿＿＿＿＿＿＿.

필 리 핀 　퍼디

가 : ＿＿＿＿＿＿＿＿＿＿＿＿?
나 : 저는 ＿＿＿＿＿＿＿＿＿＿.

03 직업이 무엇입니까? What is your job?

Practice with the examples below.

  비비엔

가 : 비비엔 씨 직업이 무엇입니까?
나 : 제 직업은 학생입니다.

  로이

가 : 로이 씨 직업이 무엇입니까?
나 : 제 직업은 <u>의사</u> 입니다.

  왕샤위

가 : 왕샤위 씨 직업이 무엇입니까?
나 : 제 직업은 경찰관 입니다.

  마스미

가 : 마스미 씨 직업이 무엇입니까
나 : 제 직업은 요리사 입니다

 퍼디

가 : 퍼디 씨 직업이무엇입니까
나 : 제 직업은 학생 입니다

유키코 태리
알안아

04 취미가 무엇입니까?

What is your hobby?

Practice with the examples below.

야구

가 : 취미가 무엇입니까?

나 : 제 취미는 야구입니다.

요리

가 : 취미가 무엇입니까?

나 : 제 취미는 <u>요리</u> 입니다.

축구

가 : <u>취미가 무엇입니까</u> ?

나 : <u>제 취미는 축구 입니다</u> .

독서

가 : <u>취미가 무엇입니까</u> ?

나 : <u>제 취미는 독서입니다</u> .

태권도

가 : <u>취미가 무엇입니까</u> ?

나 : <u>제 취미는 태권도입니다</u>

DVD로 들어 보세요

이준기와 이야기하기 TALKING WITH JOON GI LEE

자기소개하기 Introdusing yourself

Listen to the DVD and talk with Joon Gi Lee.

이준기	안녕하십니까?
	제 이름은 이준기입니다.
	저는 한국 사람입니다.
	저는 영화배우입니다.
	제 취미는 태권도입니다.
	만나서 반갑습니다.

비비엔	안녕하세요?
	제 이름은 비비엔입니다.
	저는 독일 사람입니다.
	저는 학생입니다.
	제 취미는 영화 감상입니다.
	만나서 반갑습니다.

학 생

요 리 사

안녕하십니까?

제 이름은 _____.

저는 _____.

저는 _____.

제 취미는 _____.

만나서 반갑습니다.

안녕하십니까?
Hello. (*formal*)

안녕하세요?
Hello.

안녕히 계세요.
Good bye.

안녕히 가세요.
Good bye.

잘 먹겠습니다.
Thanks for the meal.
(*before having meal*)

잘 먹었습니다.
Thanks for the meal.
(*after having meal*)

다녀오겠습니다.
I am leaving, see you
later.

잘 다녀와.
다녀오세요.
See you later.

감사합니다.
고맙습니다.
Thank you.

뭘요?
천만에요.
You're welcome.

죄송합니다.
미안합니다.
I apologize.
I am sorry.

아니에요.
괜찮아요.
It is alright.
That is ok.

실례합니다.
Excuse me.

들어오세요.
Please, come in.

안녕히
주무세요.
Good night. (*polite*)

안녕히
주무세요.
Good night. (*polite*)

주말 잘
지내세요.
Have a good
weekend.

주말 잘
부내세요.
Have a good
weekend.

또 만나요.
See you again.

노 봐요.
See you again.

내일 만나요.
See you tomorrow.

내일 봐요.
See you tomorrow.

축하합니다.
축하해요.
Congratulations.

감사합니다.
고마워요.
Thank you.

Myeongdong,

Seoul's Busiest Shopping & Finance District

If you are shopping in Korea,
check out the Myeongdong area first.
You will find a truly wide variety
of clothes you could buy.
The latest style can also be found here.
Other than clothes à la mode,
there are also lots of financial
institute buildings, including
the Bank of Korea, the central bank
which prints notes and coins,
as well as Korea's largest finance firms.
Myeongdong Cathedral, built in 1898,
is a historic place in this area.
The cathedral at dawn or sunset
is a beautiful sight.

이것은 무엇입니까?

What is this?

Chapter Goals

SITUATION
Asking questions
on objects
and answering them
VOCABULARY
Daily necessities
Food names
GRAMMAR
지시 대명사
N은/는 N입니까?
네, N입니다
아니요, N이/가 아닙니다

DVD로 들어 보세요

리 리	이것은 무엇입니까?
이준기	그것은 교통카드입니다.
리 리	그것은 떡볶이입니까?
이준기	네, 이것은 떡볶이입니다.
리 리	저것은 김밥입니까?
이준기	아니요, 김밥이 아닙니다.
	저것은 호떡입니다.

▼
The most popular snacks on a Korean cart bar, or 포장마차 (pojangmacha), are 떡볶이 (topokki, finger-like rice cakes in red hot chili sauce), 호떡 (hotteok, Chinese stuffed pancakes) and 김밥 (gimbap, rice rolled in dried seaweed). 떡볶이 tastes spicy but is popular among people from all over the world. Check out this Korean treat.

이것은[이거슨/igʌsɯn]　　무엇입니까[무어심니까/muʌɕimɲik'a]　　떡볶이[떡뽀끼/t'ʌkp'ok'i]
호떡입니까[호떠김니까/hot'ʌgimɲik'a]　　김밥입니다[김:바빔니다/ki:mbabimɲida]

어휘와 표현 VOCABULARY AND EXPRESSIONS

01 생활필수품 1　　　　　　　　　　　　　　　　　　Daily necessities 1

교통카드
transportation card

전화카드
telephone card

휴대폰
cell phone/mobile phone

시계　watch/clock

구두　shoe

가방　bag

지갑　wallet

안경　glasses

02 생활필수품 2　　　　　　　　　　　　　　　　　　Daily necessities 2

컵　cup

그릇　bowl

숟가락　spoon

젓가락　chopsticks

수세미　dish sponge

03 생활필수품 3   Daily necessities 3

 수건 towel

 비누 soap

 치약 toothpaste

 칫솔 toothbrush

 샴푸 shampoo

 린스 rinse

04 음식 이름   Food names

 떡볶이 tteokbokki

 김밥 gimbap

 호떡 hotteok

 비빔밥 bibimbap

 불고기 bulgogi

 자장면 jajangmyeon

연음 법칙 Liaison (Linking)

발 음 규 칙 PRONUNCIATION RULES

When a syllable ends with a final consonant and is followed by a vowel, then the final phoneme is pronounced as the first phoneme of the following syllable.

이것은 ⇒ [이거슨]

이름은 [이르믄/irɯmɯn]

무엇입니까 [무어심니까/muʌɕimɲikʼa]

선생님이에요 [선생니미에요/sʌnsɛŋnimiejo]

호떡을 [호떠글/hotʼʌgɯl]

문법 GRAMMAR

01 이것/그것/저것/무엇

이것	그것	저것	무엇

이것은 교통카드입니다.
그것은 휴대폰입니다.

저것은 김밥입니다.
이것은 무엇입니까?

02 N은/는 N입니까?

N입니까? is used regardless of whether there is a final phoneme or not on the last syllable of N.

이것은 교통카드입니까?

그것은 휴대폰입니까?

저것은 김밥입니까?

03 네, N입니다
아니요, N이/가 아닙니다

When there is a final consonant on the last syllable of N, use N이 아닙니다 and N가 아닙니다 otherwise.

네, 교통카드입니다.
아니요, 교통카드가 아닙니다.

네, 휴대폰입니다.
아니요, 휴대폰이 아닙니다.

네, 김밥입니다.
아니요, 김밥이 아닙니다.

|Exercise| Fill in the blanks.

N	N입니까?	N입니다	N이/가 아닙니다
교통카드	교통카드입니까?	교통카드입니다	교통카드가 아닙니다
시계		시계입니다	
떡볶이	떡볶이입니까?	떡볶이입니다	
김밥		김밥입니다	
휴대폰	휴대폰입니까?		

회화 연습 CONVERSATION DRILLS

01 이것은 무엇입니까?   What is this?

Practice with the examples below.

 가방

리리 : 이것은 무엇입니까?

이준기 : 그것은 가방입니다.

 지갑

가 : 이것은 무엇입니까?

나 : 그것은 _____ 입니다.

안경

가 : _____?

나 : _____.

구두

가 : _____?

나 : _____.

 전화카드

가 : _____?

나 : _____.

02 **네, 그것은 김밥입니다.** Yes, that is gimbab.

Practice with the examples below.

 김밥

리리 : 이것은 김밥입니까?
이준기 : 네, 그것은 김밥입니다.

 비빔밥

가 : 이것은 비빔밥입니까?
나 : 네, 그것은 _____입니다.

 치약

가 : _____?
나 : _____.

 비누

가 : _____?
나 : _____.

 샴푸

가 : _____?
나 : _____.

03 아니요, 김밥이 아닙니다. No, it is not gimbap.

Practice with the examples below.

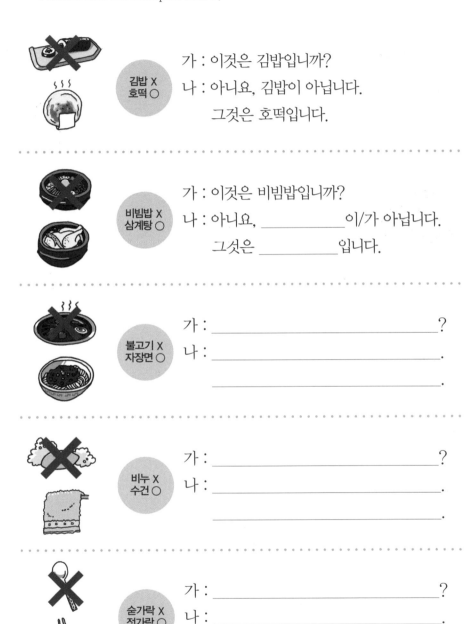

김밥 X
호떡 〇

가 : 이것은 김밥입니까?
나 : 아니요, 김밥이 아닙니다.
　　그것은 호떡입니다.

비빔밥 X
삼계탕 〇

가 : 이것은 비빔밥입니까?
나 : 아니요, ＿＿＿＿＿＿이/가 아닙니다.
　　그것은 ＿＿＿＿＿＿입니다.

불고기 X
자장면 〇

가 : ＿＿＿＿＿＿＿＿＿＿＿＿？
나 : ＿＿＿＿＿＿＿＿＿＿＿＿.
　　＿＿＿＿＿＿＿＿＿＿＿＿.

비누 X
수건 〇

가 : ＿＿＿＿＿＿＿＿＿＿＿＿？
나 : ＿＿＿＿＿＿＿＿＿＿＿＿.
　　＿＿＿＿＿＿＿＿＿＿＿＿.

숟가락 X
젓가락 〇

가 : ＿＿＿＿＿＿＿＿＿＿＿＿？
나 : ＿＿＿＿＿＿＿＿＿＿＿＿.
　　＿＿＿＿＿＿＿＿＿＿＿＿.

이준기와 이야기하기 TALKING WITH JOON GI LEE

물건 이름 물어보기 Asking the names of objects
Listen to the DVD and talk with Joon Gi Lee.

이 준 기	이것은 시계입니까?
스테파니	네, 그것은 시계입니다.
이 준 기	그것은 무엇입니까?
스테파니	이것은 컴퓨터입니다.
이 준 기	저것은 전화카드입니까?
스테파니	아니요, 저것은 전화카드가 아닙니다. 교통카드입니다.

가 _____은/는 _____입니까?

나 네, _____은/는 _____입니다.

가 _____은/는 _____입니까?

나 _____은/는 _____입니다.

가 _____은/는 _____입니까?

나 아니요, _____은/는 _____이/가 아닙니다.

_____입니다.

이~/그~/저~/어느~ THIS-/THAT-/THAT-/WHICH-

이~, 그~, 저~ and 어느~ are demonstrative pronouns, and their usages differ on the types of words that come after them – whether the immediately following word is a person, a non-living object, a place or a direction. The table below shows more detail.

	이~	그~	저~	어느~
사람 person	이 사람	그 사람	저 사람	누구
	이분	그분	저분	어느 분
사물 thing	이것	그것	저것	어느 것
				무엇
장소 places	여기	거기	저기	어디
방향 direction	이쪽	그쪽	저쪽	어느 쪽

Insadong, Where The Tradition Meets The Modern

This area is crowded with traditional-style tea houses steeped
in a refreshing herbal aroma, restaurants that serve unique Korean
dishes, which can be pleasantly spicy to
non-Korean visitors' palate.
In Insadong you would also be amused to check out
many galleries that show off oriental space
aesthetics as well as shops that sell colorful
traditional crafts and artistic articles.
There are many stands that sell sweet
pancakes and candies that have thousands of
threadlike layers of honey, both of which
you can relish while strolling on the street.

이 라면은 한 개에 얼마예요?

How much does this packet of noodles cost?

물건 사기
Shopping

Chapter Goals

SITUATION
Shopping
VOCABULARY
Counting units
Numbers
Foods
Daily necessities
GRAMMAR
이/그/저 N
N예요/이에요
N이/가 아니에요
N하고 N
N에

DVD로 들어 보세요

아저씨	어서 오세요.
스테파니	이 라면은 한 개에 얼마예요?
아저씨	오백 원이에요.
스테파니	라면 두 개하고 맥주 세 병 주세요.
아저씨	모두 오천오백 원입니다.
	감사합니다. 안녕히 가세요.
스테파니	안녕히 계세요.

▼
You may often hear people calling clerks, waiters or waitresses with words such as 아저씨, 아주머니, 아줌마 or 아가씨. These expressions are used in informal and friendly settings. Sometimes 어머니 or 이모 is used instead of 아주머니, and 언니 other than 아가씨, which are originally terms used among families and are used to be even more friendly and casual.

라면은[라며는/ramjʌnɯn]   오백 원이에요[오:배궈니에요/o:bɛgwʌniejo]
오천오백 원[오:처노:배권/o:tsʰʌno:bɛgwʌn]   맥주[맥쭈/mɛkts'u]

DVD로 풀어 보세요

어휘와 표현 VOCABULARY AND EXPRESSIONS

01 생활필수품 4   Daily necessities 4

건전지 battery   화장지(티슈) toilet paper (tissue)

형광등 fluorescent lamp   휴지 toilet paper

휴대폰 cell phone/mobile phone

02 식품   Foods

라면 instant noodles   컵라면 cup noodles

빵 bread   계란 egg

두부 tofu   과자 snack

햄 ham   통조림 canned food

03 음료, 주류   Beverage

물 water   커피 coffee

콜라 coke   소주 soju

우유 milk   주스 juice

맥주 beer   사이다 lemon-flavored carbonated drink

04 과일   Fruits

사과 apple   배 pear

바나나 banana   수박 watermelon

딸기 strawberry   포도 grapes

감 persimmon   귤 mandarin orange/tangerine

05 고기   Meats

소고기 beef meat   돼지고기 pork meat

닭고기 chicken meat   생선 fish

06 단위   Counting units

마리 a unit used to count animals as (a head of cow)

몇 마리 how many heads of (for animals)

킬로그램(kg) kilogram

몇 킬로그램 how many kilograms

송이 a unit used to count flowers by the bunch

몇 송이 how many bunches

병 a unit used to count bottles

몇 병 how many bottles

개 a unit used to count inanimate items

몇 개 how many items

07 기타

어서 오세요 Welcome!

얼마예요? What is the price of it? (=How much is it?)

주세요 Give it to me please. (=I will take it.)

모두 all/total/altogether

깎아 주세요 Please give me some discount

뭘 드릴까요? What can I give to you?

값 price

돈 money

원 won (the Korean currency)

경음화 Fortis

발음규칙 PRONUNCIATION RULES

When the final consonants ㄷ, ㅌ, ㅅ, ㅆ, ㅈ and ㅊ meet with the initial consonants ㄱ, ㄷ, ㅂ, ㅅ or ㅈ on the next syllable, the initial consonants are pronounced as ㄲ, ㄸ, ㅃ, ㅆ or ㅉ.

맥주 ⟹ [맥쭈]

ㄱ + | ㄱ ㄷ ㅂ ㅅ ㅈ | ⟹ | ㄲ ㄸ ㅃ ㅆ ㅉ |

학교[학꾜/hakk'jo]

닭고기[닥꼬기/takk'ogi]

떡볶이[떡뽀끼/t'ʌkp'ok'i]

읽다[익따/ikt'a]

문법GRAMMAR

01 이/그/저 N   This-/That-/That-

A person or an object closer to the speaker is referred to with 이 N, while 그 N is used when the referred person or object is closer to the listener. Use 저 N if it is far from both the speaker and the listener.

이 빵은 얼마예요?

그 사과는 얼마예요?

저 콜라는 얼마예요?

02 N예요/이에요   It is N
N이/가 아니에요   It is not N

If the last syllable of a noun does not have a final consonant, use N예요 and N가 아니에요. Use N이에요 and N이 아니에요 if there is a final consonant. They have the same meanings as N입니다 and N이/가 아닙니다, are used in informal settings, and are preferred by female speakers.

바나나예요.   바나나가 아니에요.

음료수예요.   음료수가 아니에요.

과일이에요.   과일이 아니에요.

03 N하고 N

N And N

N하고 N is a particle that groups up two separate nouns and has the same meaning as the coordinate conjunction 그리고. The form N하고 N is used regardless of whether there is a final consonant or not on the last syllable of the noun.

라면하고 두부	커피하고 우유
사과하고 딸기	맥주하고 소주
휴지하고 건전지	소고기하고 닭고기

|Exercise|Fill in the blanks.

N	N하고 N
라면, 두부	라면하고 두부
커피, 콜라	
햄, 통조림	
바나나, 수박	
건전지, 휴대폰	
밥, 계란	

04 N에

Per N

The form N에 is used regardless of whether there is a final consonant or not on the last syllable of the noun.

사이다는 한 병에 칠백 원이에요.

그 소고기는 일 킬로그램에 얼마예요?

이 화장지는 한 개에 얼마예요?

이 생선은 한 마리에 이천 원이에요.

|Exercise| Fill in the blanks.

N	N예요/이에요	N이/가 아니에요
사과	사과예요	사과가 아니에요
포도		포도가 아니에요
바나나		
휴지	휴지예요	휴지가 아니에요
휴대폰		휴대폰이 아니에요
오백 원	오백 원이에요	

05 숫자 Numbers

|일, 이, 삼…|

1	2	3	4
일	이	삼	사
5	6	7	8
오	육	칠	팔
9	10	11	12
구	십	십일	십이
13	14	15	16
십삼	십사	십오	십육
17	18	19	20
십칠	십팔	십구	이십
30	40	50	60
삼십	사십	오십	육십
70	80	90	100
칠십	팔십	구십	백
1,000	10,000	100,000	1,000,000
천	만	십만	백만

▼
16 십육 [심뉵]

|하나, 둘, 셋…|

1	2	3	4
하나 (한 N)	둘 (두 N)	셋 (세 N)	넷 (네 N)
5	6	7	8
다섯	여섯	일곱	여덟
9	10	11	12
아홉	열	열하나 (열한 N)	연둘 (열두 N)
13	14	15	16
열셋 (열세 N)	열넷 (열네 N)	열다섯	열여섯
17	18	19	20
열일곱	열여덟	열아홉	스물 (스무 N)
30	40	50	60
서른	마흔	쉰	예순
70	80	90	100
일흔	여든	아흔	백

▼
11 열하나 [열하나]
　 열한 [열한]
14 열넷 [열렏]
16 열여섯 [열려섣]
17 열일곱 [열릴곱]
18 열여덟 [열려덜]

회화 연습 CONVERSATION DRILLS

01 이것은 컵라면이에요?

Is this a cup noodle?

Practice with the examples below.

이것
컵 라면 ○

스테파니 : 이것은 컵라면이에요?
아저씨 : 네, 그것은 컵라면이에요.

이것
통조림 X
햄 ○

가 : 이것은 통조림이에요?
나 : 아니요, 그것은 통조림이 아니에요.
      햄이에요.

이것
건전지 ○

가 : _____?
나 : _____.

그것
배 X
사과 ○

가 : _____?
나 : _____.
      _____.

저것
과자 X
빵 ○

가 : _____?
나 : _____.
      _____.

02 **사과하고 딸기 주세요.** Give me some apples and strawberries please.

Practice with the examples below.

사과 1개
딸기 1kg

아저씨 : 뭘 드릴까요?
스테파니 : 사과 한 개하고 딸기
　　　　　일 킬로그램 주세요.

사이다 3병
맥주 2병

가 : 뭘 드릴까요?
나 : _____ 하고 _____ 주세요.

돼지고기 1kg
닭고기 1마리

가 : _____ ?
나 : _____ .

계란 10개
캔 커피 5개
화장지 6개

가 : _____ ?
나 : _____ .

형광등 1개
휴지 7개
바나나 1송이

가 : _____ ?
나 : _____ .

03 이 사과는 한 개에 얼마예요?

Practice with the examples below.

500원

이 사과
1개
오백 원

스테파니 : 이 사과는 한 개에 얼마예요?

아저씨 : 그 사과는 한 개에 오백 원이에요.

2,000원

이 바나나
1송이
이천 원

가 : 이 _____ 은/는 _____에 얼마예요?

나 : 그 _____ 은/는 _____에 _____이에요.

600원

이 콜라
1병
육백 원

가 : _____?

나 : _____.

12,000원

그 소고기
1킬로그램
만 이천 원

가 : _____?

나 : _____.

3,500원

그 생선
1마리
삼천오백 원

가 : _____?

나 : _____.

DVD로 들어 보세요

이준기와 이야기하기 TALKING WITH JOON GI LEE

물건 사기 Shopping

Listen to the DVD and talk with Joon Gi Lee.

아주머니	어서 오세요. 뭘 드릴까요?
이 준 기	아주머니, 이 사과는 한 개에 얼마예요?
아주머니	그 사과는 한 개에 오백 원이에요.
이 준 기	그 바나나는 한 송이에 얼마예요?
아주머니	이 바나나는 한 송이에 이천 원이에요.
이 준 기	사과 두 개하고 바나나 두 송이 주세요.
아주머니	여기 있어요. 모두 오천 원이에요.
이 준 기	안녕히 계세요.
아주머니	감사합니다. 안녕히 가세요.

가 어서 오세요. 뭘 드릴까요?

나 아주머니, _____은/는 _____에 얼마예요?

가 _____은/는 _____에 _____이에요.

나 _____은/는 _____에 얼마예요?

가 _____은/는 _____에 _____이에요.

나 _____ 하고 _____ 주세요.

가 여기 있어요. 모두 _____이에요.

나 안녕히 계세요.

가 감사합니다. 안녕히 가세요.

돈
MONEY-The Korean Currency

십 원 10 won

오십 원 50 won

백 원 100 won

오백 원 500 won

천 원 1,000 won

오천 원 5,000 won

만 원 10,000 won

오만 원 50,000 won

Samcheongdong, Where Korean Design and Architecture Flourishes

Palaces built during Joseon Dynasty surround this town;
there are great numbers of Korean traditional houses also know as Hanok.
While walking through labyrinth-like alleyways after alleyways
you will find worn walls and generations-old stores welcomeing you.
Laid with stonewalls, the streets also have stylish and unique cafés
from corner to corner for you to enjoy coffee.
Traditional houses have been modified into workshops
by many famous architects. Galleries with unique works
are plentiful here for you to visit.
It might come as a surprise that this entire
environment actually is in the central region
of a city with over ten million people
living in it.

오늘은 며칠이에요?
What is the date today?

Chapter Goals

SITUATION
Asking date, day of the
week and specific days
(birthdays)
VOCABULARY
Date
Day of the week
GRAMMAR
N은/는 며칠이에요?
N이/가 언제예요?
N은/는 무슨 N예요/
이에요?

DVD로 들어 보세요

이준기	비비엔 씨, 오늘은 며칠이에요?
비비엔	오늘은 9월 28일이에요.
이준기	오늘은 무슨 요일이에요?
비비엔	오늘은 목요일이에요.
이준기	그럼, 비비엔 씨 생일이 언제예요?
비비엔	제 생일은 10월 9일이에요.

Days of the week are
ordered starting with
Sunday in many cultures,
but in Korea a week starts
with Monday in the spoken
language, although the
first column on the Korean
calendar is Sundays. Refer
to page 103 for more
information.

오늘은[오느른/onɯrɯn]　며칠이에요[며치리에요/mjʌtsʰiriejo]
이십팔 일이에요[이ː십파리리에요/iːɕippʰaririejo]　목요일이에요[모교이리에요/mogjoiriejo]
무슨 요일[무슨뇨일/musɯnɲoil]

DVD로 들어 보세요

어휘와 표현 VOCABULARY AND EXPRESSIONS

01 해 Year

년 year

올해 this year

몇 년 how many years/some years

작년 last year

내년 next year

02 달 Months

일월 January

삼월 March

오월 May

칠월 July

구월 September

십일월 November

몇 월 what month

이번 달 this month

이월 February

사월 April

유월 June

팔월 August

시월 October

십이월 December

지난달 last month

다음 달 next month

03 날 Days

그저께 the day before yesterday

오늘 today

모레 the day after tomorrow

며칠 how many days/a few days

어제 yesterday

내일 tomorrow

매일 every day

04 주 Day of the week

월요일 Monday	화요일 Tuesday
수요일 Wednesday	목요일 Thursday
금요일 Friday	토요일 Saturday
일요일 Sunday	무슨 요일 what day
지난주 last week	이번 주 this week
다음 주 next week	주말 weekend

05 기타 1 Others 1

책 book

카푸치노 cappuccino

시험 test/exam/quiz

수료식 completion ceremony

방학 vacation

견학 field trip (not recreational)

어! Uh!

인터뷰 interview

오리엔테이션 orientation

06 기타 2   Others 2

언제 when

달력 calendar

한글날 Hangeul Day

한국어 책 Korean book

영어 책 English book

생일 birthday

생일 축하합니다 Happy birthday

연음 법칙Liaison (Linking)

발음규칙 PRONUNCIATION RULES

When a syllable ends with a final consonant and is followed by a vowel, then the final phoneme is pronounced as the first phoneme of the following syllable.

$$오늘은 \Rightarrow [오느른]$$

며칠이에요[며치리에요/mjʌtsʰiriejo]

일월[이뤌/irwʌl]

이십팔 일이에요[이ː십파리리에요/iːɕippʰaririejo]

목요일[모교일/mogjoil]

문법 GRAMMAR

01 N은/는 며칠이에요?
N은/는 ～월 ～일이에요

What is the date N?
N is –(month) –(date)

오늘은 며칠이에요?

오늘은 5월 8일이에요.

내일은 며칠이에요?

내일은 10월 20일이에요.

토요일은 며칠이에요?

토요일은 12월 25일이에요.

02 N이/가 언제예요?
N은/는 ～월 ～일이에요

When is N?
N is –(month) –(date)

생일이 언제예요?

제 생일은 1월 5일이에요.

시험이 언제예요?

시험은 6월 10일이에요.

한글날이 언제예요?

한글날은 10월 9일이에요.

03 N은/는 무슨 N예요/이에요? N은/는 N예요/이에요

What kind of N is N?
N is N

오늘은 무슨 요일이에요?

오늘은 수요일이에요.

─────────────────

이것은 무슨 커피예요?

그것은 카푸치노예요.

─────────────────

저것은 무슨 책이에요?

저것은 한국어 책이에요.

|Exercise| Fill in the blanks.

N	N월 N일이에요
5. 8	오월 팔일이에요
6. 6	
7. 7	
8. 15	
9. 30	
10. 5	

회화 연습 CONVERSATION DRILLS

01 오늘은 며칠이에요?   What is the date today?

Practice with the examples below.

오늘

이준기 : 비비엔 씨, 오늘은 며칠이에요?

비비엔 : 오늘은 9월 28일이에요.

- -

오늘

가 : 오늘은 며칠이에요?

나 : 오늘은 _____이에요.

- -

오늘

가 : _____?

니 : _____.

- -

내일

가 : _____?

나 : _____.

- -

모레

가 : _____?

나 : _____.

- -

02 생일이 언제예요?

Practice with the examples below.

 생일

이준기 : 비비엔 씨, 생일이 언제예요?

비비엔 : 제 생일은 6월 10일이에요.

10월 20일 시험

가 : 시험이 언제예요?

나 : 시험은 _____이에요.

12월 28일 수료식

가 : _____?

나 : _____.

7월 23일 방학

가 : _____?

나 : _____.

2월 27일 오리엔테이션

가 : _____?

나 : _____.

03 오늘은 무슨 요일이에요?　　　　　　　　　　　　　　What day is it today?

Practice with the examples below.

  오늘
월요일

이준기 : 오늘은 무슨 요일이에요?

비비엔 : 오늘은 월요일이에요.

 내일
화요일

가 : 내일은 무슨 요일이에요?

나 : 내일은 _____이에요.

 모레
수요일

가 : _____?

나 : _____.

 7월 3일
일요일

가 : _____?

나 : _____.

 오늘
토요일

가 : _____?

나 : _____.

듣기 연습 LISTENING DRILLS

01 날짜 받아쓰기 1   Dictating dates 1

The DVD will play each dialogue twice.
Listen carefully, and write down the correct answer.

로이 : 오늘은 며칠이에요?

비비엔 : 오늘은 5월 5일이에요.

정답 : 오늘은 5월 5일이에요.

1. _____은/는 _____이에요.

2. _____은/는 _____이에요.

3. _____은/는 _____이에요.

02 날짜 받아쓰기 2   Dictating dates 2

로이 : 비비엔 씨 생일이 언제예요?

비비엔 : 제 생일은 5월 8일이에요.

정답 : 제 생일은 5월 8일이에요.

1. _____은/는 _____이에요.

2. _____은/는 _____이에요.

3. _____은/는 _____이에요.

03 요일 받아쓰기

로이 : 내일은 무슨 요일이에요?

비비엔 : 내일은 월요일이에요.

정답 : 내일은 월요일이에요.

1. _____ 은/는 _____ 이에요.

2. _____ 은/는 _____ 이에요.

3. _____ 은/는 _____ 이에요.

생일 축하합니다 노래 Happy birthday to you!

생일 축하합니다.

생일 축하합니다.

사랑하는 _____ 씨

생일 축하합니다.

▼
Koreans have "미역국," or seaweed soup on their birthdays. You could ask someone whether the birthday person had "미역국," instead of congratulating someone with the phrase "생일 축하해요." with the same effect.

DVD로 들어 보세요

이준기와 이야기하기 TALKING WITH JOON GI LEE

날짜·요일·생일 묻기 Asking date, day of the week and specific days (birthdays)

Listen to the DVD and talk with Joon Gi Lee.

이준기   비비엔 씨, 오늘은 며칠이에요?

비비엔   오늘은 6월 20일이에요.

이준기   오늘은 월요일이에요?

비비엔   네, 오늘은 월요일이에요.

이준기   그럼, 비비엔 씨 생일은 언제예요?

비비엔   제 생일은 10월 9일이에요.

이준기   어? 10월 9일은 한글날이에요.

비비엔   아, 그렇군요!

▼
October 9th is Hangeul Day. Koreans celebrate the invention of the Korean writing system by the Great King Sejong and use the occasion to promote the research and distribution of Hangeul.

가   _____ 씨, _____?

나   오늘은 _____.

가   오늘은 _____?

나   네, _____.

     (아니요, _____.)

가   그럼, _____?

나   제 생일은 _____.

가   어? _____.

나   아, 그렇군요!

달력·요일 읽기 | READING THE CALENDAR

Read the number first and then read 일 when reading the date of the month. For example, the first day of a month is 1일 or 일일, and the tenth day is 10일 or 십일. Study the calendar below.

달력 읽기 | Reading the calendar

숫자+일Number+일

1일 일일1st	2일 이일2nd	3일 삼일3rd
4일 사일4th	5일 오일5th	6일 육일6th
7일 칠일7th	8일 팔일8th	9일 구일9th
10일 십일10th	11일 십일일11th	12일 십이일12th
13일 십삼일13th	20일 이십일20th	21일 이십일일21st
30일 삼십일30th	31일 삼십일일31st	

Special

요일 읽기 Day of the week

Sunday	Monday	Tuesday	Wednesday	Thursday	Friday	Saturday
일요일	월요일	화요일	수요일	목요일	금요일	토요일

때를 나타내는 말 Words for time

	작년 last year	올해 this year	내년 next year	
	지난달 last month	이번 달 this month	다음 달 next month	
	지난주 last week	이번 주 this week	다음 주 next week	
그저께 the day before yesterday	어제 yesterday	오늘 today	내일 tomorrow	모레 the day after tomorrow

Gwangwhamoon Square,

Established Together with Joseon Dynasty

This has been the avenue of governmental and political
affairs since the founding king of Joseon Dynasty
designated it as a government complex area.
Now it is still filled with various government
offices and news companies.
Cheonggyechen creek that crosses
the center of Seoul and Gyeongbokgung Palace,
the largest one built during Joseon Dynasty,
meet in this square.
At a distance, you will also see high hills
surrounding the square that have witnessed
Korea's history and culture right on this place.

지금 몇 시예요?
What time is it now?

시간 묻고 답하기
Asking Time and Answering It

Chapter Goals
- - - - - - -
SITUATION
Asking time
and answering it
VOCABULARY
Time
Public institution
GRAMMAR
시간 읽기
N부터 N까지

벤 슨	실례지만, 지금 몇 시예요?
최지영	지금 3시 반이에요.
벤 슨	한국어 수업은 몇 시부터 몇 시까지예요?
최지영	한국어 수업은 9시부터 1시까지예요.
벤 슨	고맙습니다.

▼
When you initiate a talk with a stranger to ask the time or direction, it is polite to use the phrases "실례지만", "고맙습니다" or "감사합니다."

몇 시예요[멷씨예요/mjʌtɕ'ijejo]   아홉 시[아홉씨/aɦopɕ'i]
고맙습니다[고ː맙씀니다/koːmapsʼɯmɲida]   반이에요[바ː니에요/paːɲiejo]
한국어 수업은[한ː구거수어븐/haːnɡuɡʌsuʌbɯn]

DVD로 들어 보세요

어휘와 표현 VOCABULARY AND EXPRESSIONS

01 때 · Time

시 o'clock	시간 hour/time
분 minute	초 second
아침 morning/breakfast	점심 lunch time/lunch
저녁 evening/dinner	낮 daytime
밤 night	지금 now
정오 noon	반 half
오전 A.M.	오후 P.M.
전 before	~쯤(에) around–

02 공공 기관 · Public institution

도서관 library building
은행 bank
우체국 post office
출입국관리소 the Immigration Bureau
학교 school
병원 hospital

03 장소 · Places

세탁소 laundromat
학생 식당 student cafeteria
편의점 convenience store

중국집   Chinese restaurant

동대문시장   Dongdaemun Market

04 기타   Others

시계   watch/clock

한국어 수업   Korean class

실례지만   Excuse me, but…

고맙습니다   Thank you

경음화 Fortis

발·음·규·칙 PRONUNCIATION RULES

When the final consonants ㄷ, ㅌ, ㅅ, ㅆ, ㅈ and ㅊ meet with the initial consonants ㄱ, ㄷ, ㅂ, ㅅ or ㅈ on the next syllable, the initial consonants are pronounced as ㄲ, ㄸ, ㅃ, ㅆ or ㅉ.

$$몇 \ 시 \ \Rightarrow \ [면씨]$$

$$ㄷ(ㅌ, \ ㅅ, \ ㅆ, \ ㅈ, \ ㅊ) \ + \ \begin{matrix} ㄱ \\ ㄷ \\ ㅂ \\ ㅅ \\ ㅈ \end{matrix} \ \Rightarrow \ \begin{matrix} ㄲ \\ ㄸ \\ ㅃ \\ ㅆ \\ ㅉ \end{matrix}$$

햇빛[핻삗/hctp'it]   같고[갇꼬/katk'o]

있다[읻따/i(t)t'a]   맞지만[맏찌만/ma(t)ts'iman]

문법GRAMMAR

01 시간 읽기

시Hour

1	2	3	4	5
한 시	두 시	세 시	네 시	다섯 시
6	7	8	9	10
여섯 시	일곱 시	여덟 시	아홉 시	열 시
11	12	?		
열한 시	열두 시	몇 시		

분Minute

1	2	3	4
일 분	이 분	삼 분	사 분
5	6	7	8
오 분	육 분	칠 분	팔 분
9	10	11	12
구 분	십 분	십일 분	십이 분
15	20	25	30
십오 분	이십 분	이십오 분	삼십 분/반
35	40	45	50
삼십오 분	사십 분	사십오 분	오십 분
55	60	?	
오십오 분	육십 분	몇 분	

▼
시간
1시간(한 시간)
2시간(두 시간)
10시간(열 시간)
2시간 30분(두 시간 삼십
분, 두 시간 반)
24시간(이십사 시간)
? 몇 시간

09 : 00

아홉 시

04 : 30

네 시 삼십 분,
네 시 반

07 : 55

일곱 시 오십오 분,
여덟 시 오 분 전

10 : 00

오전 열 시

22 : 00

밤 열 시

02 N부터 N까지

From N until N

Use ~부터 ~까지 for a time span. For a spatial span, Use ~에서 ~까지 instead.

1시~2시	1시부터 2시까지예요.
아침~저녁	아침부터 저녁까지예요.
오늘~내일	오늘부터 내일까지예요.

▼
서울~부산
서울부터 부산까지 (×)
서울에서 부산까지 (○)
집~학교
집부터 학교까지 (×)
집에서 학교까지 (○)

회화 연습 CONVERSATION DRILLS

01 지금 몇 시예요?

Practice with the examples below.

벤슨 : 실례지만, 지금 몇 시예요?

최지영 : 지금 열한 시예요.

벤슨 : 고맙습니다.

가 : 실례지만, 지금 몇 시예요?

나 : 지금 _____ 예요.

가 : 고맙습니다.

가 : _____ ?

나 : _____ .

가 : _____ .

가 : _____ ?

나 : _____ .

가 : _____ .

가 : _____ ?

나 : _____ .

가 : _____ .

02 수업은 9시부터 1시까지예요.   The class is from 9 A.M. until 1 P.M.

Practice with the examples below.

한국어 수업

벤슨 : 실례지만, 수업은 몇 시부터
　　　　몇 시까지예요?

최지영 : 수업은 9시부터 1시까지예요.

벤슨 : 고맙습니다.

우체국

가 : 실례지만, ＿＿＿＿＿＿은/는 몇 시부터
　　　몇 시까지예요?

나 : ＿＿＿＿＿은/는 ＿＿＿＿＿＿＿＿예요.

가 : 고맙습니다.

은행

가 : ＿＿＿＿＿＿＿＿＿＿＿＿＿＿＿＿＿＿?
나 : ＿＿＿＿＿＿＿＿＿＿＿＿＿＿＿＿＿＿.
가 : ＿＿＿＿＿＿＿＿＿＿＿＿＿＿＿＿＿＿.

출입국관리소

가 : ＿＿＿＿＿＿＿＿＿＿＿＿＿＿＿＿＿＿?
나 : ＿＿＿＿＿＿＿＿＿＿＿＿＿＿＿＿＿＿.
가 : ＿＿＿＿＿＿＿＿＿＿＿＿＿＿＿＿＿＿.

병원

가 : ＿＿＿＿＿＿＿＿＿＿＿＿＿＿＿＿＿＿?
나 : ＿＿＿＿＿＿＿＿＿＿＿＿＿＿＿＿＿＿.
가 : ＿＿＿＿＿＿＿＿＿＿＿＿＿＿＿＿＿＿.

DVD로 들어 보세요

듣기 연습 LISTENING DRILLS

01 시간 묻고 답하기   Asking time and answering it

The DVD will play each dialogue twice.
Listen carefully, and write down the correct answer.

벤슨 : 실례지만, 지금 몇 시예요?

최지영 : 지금 열한 시예요.

벤슨 : 감사합니다.

정답 : 지금 11:00예요.

> Write down the time first as in the sample text and choose either 예요 or 이에요.

1. 지금 _____예요/이에요.

2. 지금 _____예요/이에요.

3. 지금 _____예요/이에요.

02 영업 시간 묻고 답하기   Asking business hours

벤슨 : 실례지만, 한국어 수업은 몇 시부터 몇 시까지예요?

최지영 : 한국어 수업은 9시부터 1시까지예요.

벤슨 : 고맙습니다.

정답 : 한국어 수업은/는 9시부터 1시까지예요.

1. _____은/는 _____부터 _____까지예요.

2. _____은/는 _____부터 _____까지예요.

3. _____은/는 _____부터 _____까지예요.

DVD로 들어 보세요

이준기와 이야기하기 TALKING WITH JOON GI LEE

시간 · 영업 시간 묻고 답하기 Asking and answering business hours

Listen to the DVD and talk with Joon Gi Lee.

리 리　실례지만, 지금 몇 시예요?

이준기　지금 2시 45분이에요.

리 리　은행은 몇 시부터
　　　　몇 시까지예요?.

이준기　은행은 9시부터 4시까지예요.

리 리　동대문시장은 몇 시부터
　　　　몇 시까지예요?

이준기　동대문시장은 오후 5시부터 오전 5시까지예요.

리 리　감사합니다.

가　실례지만, 지금 몇 시예요?

나　지금 _____이에요.

가　_____은/는 _____예요?

나　_____은/는 _____예요.

가　_____은/는 _____예요?

나　_____은/는 _____예요.

가　감사합니다.

은행 bank
09:00~16:00

우체국 post office
09:00~18:00

백화점 department store
10:30~20:00

한국어 수업 Korean class
09:00~13:00

도서관 library building
09:00~18:00

중국집 Chinese restaurant
11:00~21:00

동대문시장
Dongdaemun Market
17:00~05:00

출입국관리소
the Immigration Bureau
09:00~17:00

우리 집은 신촌에 있어요
My home is in Shinchon

Chapter Goals

SITUATION
Describing a location
VOCABULARY
Location
Places
GRAMMAR
여기/거기/저기/어디
N이/가 어디에 있어요?
N은/는 N에 있어요

최지영	로이 씨 집이 어디예요?
로 이	우리 집은 신촌에 있어요.
최지영	로이 씨 집은 몇 층에 있어요?
로 이	우리 집은 4층이에요.
최지영	집에 주차장이 있어요?
로 이	네, 주차장이 있어요.
최지영	엘리베이터가 있어요?
로 이	아니요, 엘리베이터는 없어요.

집이[지비/tsibi]   집은[지븐/tsibuun]   신촌에[신초네/ɕintsʰone]
있어요[이써요/i(t)s'ʌjo]   없어요[업:써요/ə:ps'ʌjo]

Koreans prefer the first person plural "we" over the first person singular "I." "Our house" rather than "my house," is predominantly used. Likewise, Koreans are more likely to use the expressions like our family, our neighborhood, or our country rather than my family, my neighborhood or my country. This aspect of the language reflects the strong sense of communal life and culture among Koreans.

DVD로 들어 보세요

어휘와 표현 VOCABULARY AND EXPRESSIONS

01 위치　　　　　　　　　　　　　　　　　　　　　　　Location

| 왼쪽 | 오른쪽 | 위 | 아래/밑 |

| 앞 | 뒤 | 안/속 | 밖 |

| 옆 | 사이 | 근처 | 건너편/맞은편 |

▼
Koreans do not like the number four as the pronunciation of it coincides with the Chinese character "死," which means death. You can easily observe this while using an elevator in Korea. Many buildings refer to the fourth floor as the "F floor" rather than using the actual number and some buildings have eliminated the fourth floor altogether. You will never find the "fourth floor" in a Korean hospital building. What numbers are favored and feared in your culture?

02 ~층　　　　　　　　　　　　　　　　　　　　　　　Nth floor

지하 1층　basement 1/B1　　　　1층　the 1st floor

2층　the 2nd floor　　　　　　　3층　the 3rd floor

4층　the 4th floor　　　　　　　5층　the 5th floor

6층　the 6th floor　　　　　　　7층　the 7th floor

8층　the 8th floor　　　　　　　9층　the 9th floor

10층　the 10th floor　　　　　　몇 층　what/which floor

03 동네에서 In town

꽃 가게   florist   미용실   hairdresser's
공원   park   커피숍   coffee shop
주유소   gas station
슈퍼마켓/슈퍼   supermarket

04 집/아파트에서 In a house/In an apartment

집   house   아파트   apartment
방   room   화장실   bathroom/toilet/restroom
거실   living room   부엌   kitchen
현관   the front door   주차장   parking lot
엘리베이터   elevator   에스컬레이터   escalator
계단   stairs case   창문   window

05 기타 Others

실례합니다   Excuse me   우리   we/our/us
텔레비전   television   컴퓨터   computer
책상   desk   의자   chair
신촌   Shinchon   한남동   Hannam dong
휴지통   garbage can
아무것/아무것도   anything/nothing

문법GRAMMAR

01 여기/거기/저기/어디   Here/There/(over)There/Where

여기	거기	저기	어디

여기 and 거기 can be used interchangeably because what they refer to are broad areas. Yet, 여기 is where the speaker is and 거기 is where the listener is when the speakers are far away as in telephone conversations.

화장실은 여기에 있어요.
편의점은 거기에 있어요.

병원은 저기에 있어요.
계단은 어디에 있어요?

02 N이/가 어디에 있어요?   Where is N?

N이 어디에 있어요? is used when the last syllable of a noun has a final consonant, and N가 어디에 있어요? otherwise.

슈퍼마켓이 어디에 있어요?

꽃 가게가 어디에 있어요?

컴퓨터가 어디에 있어요?

03 N은/는 N에 있어요
N은/는 N에 없어요

슈퍼마켓은 공원 건너편에 있어요.
슈퍼마켓은 공원 건너편에 없어요.

꽃 가게는 오른쪽에 있어요.
꽃 가게는 오른쪽에 없어요.

컴퓨터는 책상 위에 있어요.
컴퓨터는 책상 위에 없어요.

Exercise Fill in the blanks.

왼쪽   (   )   위   (   )

(   )   (   )   안/속   (   )

옆   (   )   근처   건너편/맞은편

회화 연습 CONVERSATION DRILLS

Practice with the examples below.

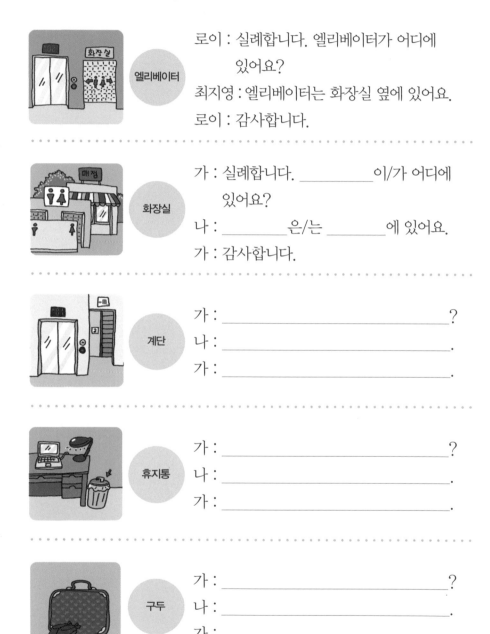

엘리베이터

로이 : 실례합니다. 엘리베이터가 어디에
            있어요?
최지영 : 엘리베이터는 화장실 옆에 있어요.
로이 : 감사합니다.

화장실

가 : 실례합니다. _____이/가 어디에
       있어요?
나 : _____은/는 _____에 있어요.
가 : 감사합니다.

계단

가 : _____?
나 : _____.
가 : _____.

휴지통

가 : _____?
나 : _____.
가 : _____.

구두

가 : _____?
나 : _____.
가 : _____.

02 커피숍은 공원 옆에 있어요.
The coffee shop is next to the park.

Practice with the examples below.

로이 : 실례합니다. 커피숍이 어디에 있어요?
최지영 : 커피숍은 공원 옆에 있어요.
로이 : 감사합니다.

가 : 실례합니다. _____이/가 어디에 있어요?
나 : _____은/는 _____에 있어요.
가 : 감사합니다.

가 : _____?
나 : _____.
가 : _____.

은행

가 : _____?
나 : _____.
가 : _____.

꽃 가게

가 : _____?
나 : _____.
가 : _____.

주유소

03 엘리베이터는 계단 옆에 있어요.   The elevator is next to the stairs.

Practice with the examples below.

 엘리베이터 옆
계단

로이 : 엘리베이터 옆에 계단이 있어요?
최지영 : 네, 엘리베이터 옆에 계단이 있어요.

 로이 책상 위
책

가 : 로이 씨 책상 위에 책이 있어요?
나 : 아니요, 로이 씨 책상 위에 책이 없어요.

 비비엔 뒤
퍼디

가 : _____?
나 : _____.

 책상 위
컴퓨터

가 : _____?
나 : _____.

 가방 안
옷

가 : _____?
나 : _____.

04 커피숍이 몇 층에 있어요?

What floor is the coffee shop on?

Practice with the examples below.

로이 : 실례합니다. 커피숍이 몇 층에 있어요?

최지영 : 커피숍은 5층에 있어요.

로이 : 감사합니다.

커피숍

냉장고

- -

가 : 실례합니다. _____ 이/가 몇 층에

있어요?

나 : _____ 은/는 _____에 있어요.

가 : 감사합니다.

- -

가 : _____?

나 : _____.

가 : _____.

화장실

- -

가 : _____?

나 : _____.

가 : _____.

지갑

- -

가 : _____?

나 : _____.

가 : _____.

주차장

- -

듣기 연습 LISTENING DRILLS

01 장소 찾기　　　　　　　　　　　　　　　　　　　　Finding places

The DVD will play each dialogue twice.
Listen carefully, and write down the correct answer.

로이 : 실례합니다. 영화관이 어디에 있어요?

최지영 : 영화관은 공원 앞에 있어요.

로이 : 고맙습니다.

정답 : 영화관, 공원

1. 은행 bank

가 : 실례합니다. _____이 어디에 있어요?

나 : 은행은 _____ 하고 _____ 사이에 있어요.

가 : 고맙습니다.

2. 과일 가게 fruit shop

가 : 실례합니다. _____ 가 어디에 있어요?

나 : 과일 가게는 _____ 앞에 있어요.

가 : 고맙습니다.

3. 식당 restaurant

가 : 실례합니다. _____ 이 어디에 있어요?

나 : 식당은 _____ 옆에 있어요.

가 : 고맙습니다.

4. 슈퍼마켓 supermarket

가 : 실례합니다. _____ 이 어디에 있어요?

나 : 슈퍼마켓은 _____ 하고 _____ 사이에 있어요.

가 : 고맙습니다.

5. 병원 hospital

가 : 실례합니다. _____ 이 어디에 있어요?

나 : 병원은 _____ 옆에 있어요.

가 : 고맙습니다.

6. 주유소 gas station

가 : 실례합니다. _____ 가 어디에 있어요?

나 : 주유소는 _____ 옆에 있어요.

가 : 고맙습니다.

DVD로 들어 보세요

이준기와 이야기하기 TALKING WITH JOON GI LEE

세계의 유명한 곳 물어보기 Asking question on world's famous attractions

Listen to the DVD and talk with Joon Gi Lee.

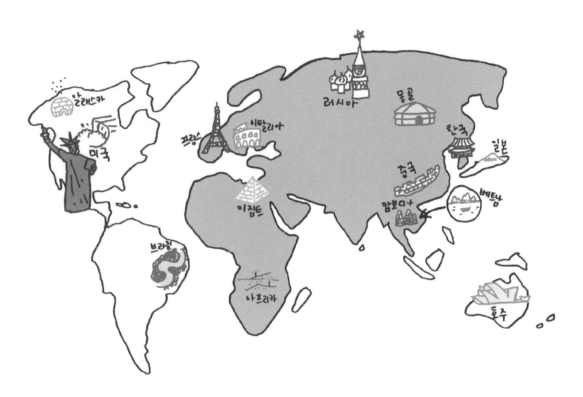

이 준 기	스테파니 씨,
	오페라 하우스가 어디에 있어요?
스테파니	오페라 하우스는 시드니에 있어요.
이 준 기	피라미드가 어디에 있어요?
스테파니	피라미드는 이집트에 있어요.
이 준 기	에펠 탑이 독일에 있어요?
스테파니	아니요, 에펠 탑은 프랑스에 있어요.
이 준 기	감사합니다.

한국 Korea	숭례문 Sungnyemun	**일본** Japan	후지 산 Mt. Fuji
중국 China	만리장성 The Great Wall	**캄보디아** Cambodia	앙코르 와트 Angkor Wat
베트남 Vietnam	하롱베이 Ha Long Bay	**호주** Australia	오페라 하우스 The Sydney Opera House
이집트 Egypt	피라미드 Pyramids	**러시아** Russia	크렘린 궁 Moscow Kremlin
몽골 Mongolia	게르 Ger (Yurt)	**이탈리아** Italy	피사의 사탑 Leaning Tower of Pisa
프랑스 France	에펠 탑 Eiffel Tower	**알래스카** Alska	이글루 Igloo
미국 USA	자유의 여신상 Statue of Liberty	**캐나다** Canada	나이아가라 폭포 Niagara Falls
브라질 Brazil	아마존 강 Amazon River	**아프리카** Africa	사하라 사막 Sahara Desert

가 _____ 씨, _____이/가 어디에 있어요?

나 _____은/는 _____에 있어요.

가 _____이/가 어디에 있어요?

나 _____은/는 _____에 있어요.

가 _____이/가 _____에 있어요?

나 아니요, _____은/는 _____에 있어요.

가 감사합니다.

Shinchon, The District of Korea's Best Colleges

Korea's top-notch colleges—Yonsei University,
Ewha Women's University, and Sogang University— are
within a few kilometers distance from each other in Shinchon.
College students busy themselves with writing papers
and chattering in the cafés, which are found on every street
in this district. A lot of the students proudly wear their college
shirts, although most Korean colleges do not have uniforms.
They will be the leaders of Korea tomorrow, so it wouldn't be
a bad experience socializing with them.

저는 오늘 영화를 봅니다
I am watching a movie today

Chapter Goals

SITUATION
Asking question
on schedule
and answering it
VOCABULARY
Basic verbs
GRAMMAR
N을/를 V−ㅂ/습니까?
N을/를 V−ㅂ/습니다
N을/를 V−지 않습니다
N에
N도

DVD로 들어 보세요

다이애나	이준기 씨, 오늘 무엇을 합니까?
이 준 기	저는 오늘 영화를 봅니다.
	다이애나 씨는 오늘 무엇을 합니까?
다이애나	저는 오늘 한국어를 공부합니다.
이 준 기	내일도 한국어를 공부합니까?
다이애나	아니요, 주말에는 한국어를 공부하지 않습니다. 친구를 만납니다.

무엇을[무어슬/muʌsɯl]   합니까[함니까/hamɲik'a]   봅니다[봄니다/bomɲida]
한국어를[한ː구거를/haːngugʌrɯl]   주말에[주마레/tsumare]
만납니다[만남니다/mannamɲida]

A "multiplex" is a type of a building that has a movie theater, a shopping mall and a food court. Buildings of this type have been drawing a lot of young people in Korea because of their convenience— you can watch a movie, go shopping and eat dinner in the same building without having to move to different places.

어휘와 표현 VOCABULARY AND EXPRESSIONS

01 동사 1 어간에 받침이 있는 동사   Verb Group 1 Verbs whose stem end with a vowel

먹다   to eat

읽다   to read

듣다   to listen to hear

02 동사 2 어간에 받침이 없는 동사   Verb Group 2 Verbs whose stem end with a consonant

보다   to watch

(그림을) 그리다   to draw (a painting)

마시다   to drink

요리하다   to cook

숙제하다   to do one's homework

배우다   to learn

청소하다   to clean

가르치다   to teach

노래하다   to sing (a song)

잠을 자다   to sleep

운동하다   to work out

03 동사 3 어간에 'ㄹ'받침이 있는 동사　　　Verb Group 3 Verbs whose stem end with ㄹ

만들다　to make something
살다　to live

04 기타　　　Others

일정　schedule
밥　steamed rice/a meal
영화 촬영　film shooting

발·음·규·칙 PRONUNCIATION RULES　　　비음화 Nasalization

Plosives ㅂ, ㄷ and ㄱ become ㅁ, ㄴ and ㅇ before the nasal vowels ㄴ, ㅁ or ㅇ.

합니까 ⇒ [함니까]

봅니다[봄니다/bomɲida]　　　만납니다[만남니다/mannamɲida]
않습니다[안씀니다/ansʼɯmɲida]　배웁니다[배움니다/pɛumɲida]

문법GRAMMAR

01 N을/를 V-ㅂ/습니까?　　　　Do/Does (N(Sub.)) + V + N(Obj.)?

To indicate that a noun is the object of a verb, attach the particle 을 or 를 after the noun. Use 을 for nouns with a final consonant on the last syllable and 를 for nouns that do not have one in that place.

리리 씨는 한국어를 공부합니까?

비비엔 씨는 일요일에 친구를 만납니까?

로이 씨는 커피를 마십니까?

02 N을/를 V-ㅂ/습니다　　　(N(sub.)) + V + N(obg.)
　　N을/를 V-지 않습니다　　Simple Present

In order to negate a verb, replace -다 with V-지 않습니다 from the infinitive form whether there is a final consonant on the last syllable or not.

네, 한국어를 공부합니다.
아니요, 한국어를 공부하지 않습니다.

네, 일요일에 친구를 만납니다.
아니요, 일요일에 친구를 만나지 않습니다.

explanation | Converting to the V−ㅂ/습니다 form |

In order to use the form V−ㅂ/습니다, remove −다 from the base form When the last syllable of the verb stem does not have a final phoneme, attach −ㅂ니다 and for those with a final consonant, attach 습니다. One exception is that when your verb stem has the final consonant of ㄹ, replace the ㄹ with −ㅂ니다.

When the last syllable of the stem does NOT have a final consonant:
가다+ㅂ니다⇒갑니다

When the last syllable of the stem has a final consonant:
먹다+습니다⇒먹습니다

When the last syllable of the stem has the final consonant ㄹ:
살다+ㅂ니다⇒삽니다

03 N에(시간의 '에')

Particle indicating the time

In general, −에 is used for nouns that indicate time but not for 오늘, 어제, 그저께, 내일 or 모레. For example, both 내일에 and 매일에 are grammatically incorrect.

언제 ~을/를 ~ㅂ/습니까?
~에 ~을/를 ~ㅂ/습니다.

언제 밥을 먹습니까?
7시에 밥을 먹습니다.

언제 친구를 만납니까?
주말에 친구를 만납니다.

언제 한국어를 공부합니까?
내일 한국어를 공부합니다.

04 N도

N as well

스테파니 씨는 한국어를 공부합니다.
로베르토 씨도 한국어를 공부합니다.

다이애나 씨는 라면을 먹습니다.
퍼디 씨도 라면을 먹습니다.

저는 목요일에 학교에 갑니다.
저는 금요일에도 학교에 갑니다.

|Exercise| Fill in the blanks.

Base Form	V–ㅂ/습니까?	V–ㅂ/습니다	V–지 않습니다
가르치다	가르칩니까?	가르칩니다	가르치지 않습니다
배우다	배웁니까?	배웁니다	
마시다		마십니다	마시지 않습니다
쓰다	씁니까?		
만나다		만납니다	
먹다	먹습니까?		먹지 않습니다

회화 연습 CONVERSATION DRILLS

01 지금 무엇을 합니까?　　　　　　　　　　What are you doing now?

Practice with the examples below.

다이애나

이준기 : 다이애나 씨, 지금 무엇을 합니까?
다이애나 : 저는 지금 한국어를 공부합니다.

로이

가 : ＿＿＿＿＿＿＿, 지금 무엇을 합니까?
나 : 저는 ＿＿＿＿＿＿＿＿＿＿＿.

비비엔

가 : ＿＿＿＿＿＿＿＿＿＿＿?
나 : ＿＿＿＿＿＿＿＿＿＿＿.

왕샤위

가 : ＿＿＿＿＿＿＿＿＿＿＿?
나 : ＿＿＿＿＿＿＿＿＿＿＿.

퍼디

가 : ＿＿＿＿＿＿＿＿＿＿＿?
나 : ＿＿＿＿＿＿＿＿＿＿＿.

02 언제 한국어를 공부합니까?

When do you study Korean?

Practice with the examples below.

수요일

이준기 : 다이애나 씨, 언제 한국어를
　　　　공부합니까?
다이애나 : 저는 수요일에 한국어를
　　　　공부합니다.

주말

가 : 언제 친구를 만납니까?
나 : 저는 _____.

아침

가 : _____?
나 : _____.

잠자기 전

가 : _____?
나 : _____.

토요일
일요일

가 : _____?
나 : _____.

03 오늘 책을 읽습니까?

Practice with the examples below.

오늘
책을 읽다 ○

이준기 : 다이애나 씨, 오늘 책을 읽습니까?
다이애나 : 네, 책을 읽습니다.

오늘
영화를 보다 ✕
친구를
만나다 ○

이준기 : 다이애나 씨, 오늘 영화를 봅니까?
다이애나 : 아니요, 영화를 보지 않습니다.
　　　　　 친구를 만납니다.

이준기
피자를
먹다 ○

가 : ＿＿＿＿＿＿＿＿＿＿＿＿＿＿＿＿？
나 : ＿＿＿＿＿＿＿＿＿＿＿＿＿＿＿＿.

벤슨
책을 읽다 ✕
텔레비전을
보다 ○

가 : ＿＿＿＿＿＿＿＿＿＿＿＿＿＿＿＿？
나 : ＿＿＿＿＿＿＿＿＿＿＿＿＿＿＿＿
＿＿＿＿＿＿＿＿＿＿＿＿＿＿＿＿.

왕샤위
영화를 보다 ✕
음악을
듣다 ○

가 : ＿＿＿＿＿＿＿＿＿＿＿＿＿＿＿＿？
나 : ＿＿＿＿＿＿＿＿＿＿＿＿＿＿＿＿
＿＿＿＿＿＿＿＿＿＿＿＿＿＿＿＿.

DVD로 들어 보세요

이준기와 이야기하기TALKING WITH JOON GI LEE

일정 묻고 답하기 Asking one's schedule and answering it

Listen to the DVD and talk with Joon Gi Lee.

이 준 기   다이애나 씨, 지금 무엇을 합니까?

다이애나   저는 지금 책을 읽습니다.

이 준 기   다이애나 씨, 내일은 무엇을 합니까?

다이애나   저는 내일 영화를 봅니다.

이 준 기   그럼, 주말에는 무엇을
           합니까?

다이애나   주말에는
           친구를
           만납니다.

가   _____ 씨, 지금 무엇을 합니까?

나   저는 지금 _____.

가   _____ 씨, 내일은 무엇을 합니까?

나   저는 내일 _____.

가   그럼, 주말에는 무엇을 합니까?

나   _____.

이준기의 일주일 일정 Joon Gi Lee's Weekly Schedule
Make your weekly plan as Joon Gi Lee does.

월요일 중국어를 공부하다
화요일 중국어를 공부하다
수요일 영화 촬영을 하다
목요일 책을 읽다
금요일 중국어를 공부하다
토요일/일요일 친구를 만나다

저는 월요일하고 화요일에 중국어를 공부합니다.
금요일에도 중국어를 공부합니다.
수요일에는 중국어를 공부하지 않습니다.
영화 촬영을 합니다.
목요일에는 책을 읽습니다.
그리고 주말에는 친구를 만납니다.

Hongdae, Seoul's Mecca of Underground Culture

Korea's underground culture has found its home
in the area surrounding Hongik University,
which has Korea's best fine arts department.
Flashy graffiti artists have decorated most street walls,
and there are literally dozens and dozens
of clubs and cafés along these streets.
Each of them has a unique atmosphere
that attracts young men and women seeking rebellion.
There are always performances big and small.
On weekends when it does not rain, a flea market
and "Hope Market" that let you take glimpses
of the unique artistic culture of this area are held.
The last Friday of each month is called "A Club Day."
With a ticket, you can hop
from club to club and enjoy
various genres of dance and music.

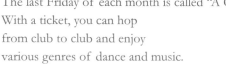

주말에 명동에 갑니다
I am going to Myeongdong this weekend

Chapter Goals

SITUATION
Talking about one's
weekend plan
VOCABULARY
Verbs
-Leaving and arriving
-Shopping
GRAMMAR
N은/는 N에 가다/오다
N은/는 N에서 N을/를
V-ㅂ/습니다
V-고 V

DVD로 들어 보세요

최지영	퍼디 씨, 주말에 어디에 갑니까?
퍼 디	저는 주말에 명동에 갑니다.
최지영	명동에서 무엇을 합니까?
퍼 디	명동에서 영화를 봅니다.
	최지영 씨는 주말에 무엇을 합니까?
최지영	저는 도서관에 갑니다.
퍼 디	도서관에서 무엇을 합니까?
최지영	도서관에서 책을 읽고 인터넷을 합니다.

갑니까[감니까/kamɲik'a]   도서관에[도서과네/tosʌgwane]   책을[채글/tsʰɛgɯl]
무엇을[무어슬/muʌsɯl]   인터넷을[인터네슬/intʰʌnesɯl]   읽고[일꼬/ilk'o]

Korea boasts the highest
rate of broadband Internet
connection subscribers,
and access to the Internet
is ubiquitous – it is available
at libraries, public offices
and subway stations. You
may even easily check out
an Internet café in your
neighborhood.

어휘와 표현 VOCABULARY AND EXPRESSIONS

01 동사 4   Verb Group 4

N에 가다   to go to (a place)

내리다   to get off (from a vehicle)

N에 오다   to come to (a place)

갈아타다   to transit

걷다   to walk

건너다   to cross

달리다   to run

운전하다   to drive (a vehicle)

타다   to get on (a vehicle)

02 동사 5   Verb Group 5

사다   to purchase

고르다   to choose

팔다   to sell

쇼핑하다   to shop

바꾸다   to change

인터넷하다   to surf the Internet

03 기타 Others

나   I (informal)

명동   Myeongdong

저   I (polite)

교실   classroom

교회   church

식당   restaurant

광화문   Gwanghwamun

신문   newspaper

전시회   exhibition

연음 법칙 Liaison (Linking)

발 음 규 칙   PRONUNCIATION RULES

When a syllable ends with a final consonant and is followed by a vowel, then the final phoneme is pronounced as the first phoneme of the following syllable.

$$주말에 \Rightarrow [주마레]$$

도서관에[도서과네/tosʌgwane]   책을[채글/tsʰɛgɯl]

인터넷을[인터네슬/intʰʌnesɯl]   신문을[신무늘/ɕinmunɯl]

문법 GRAMMAR

01 N은/는 N에 가다/오다　　　　　N go(goes)/come(comes) to N

The particle ㅡ에 attached to a noun is used to indicate that the noun is the destination indicated by the verbs 가다 and 오다.

선생님은 학교에 갑니다.

로이 씨는 명동에 갑니다.

스테파니 씨는 내일 한국에 옵니다.

02 N은/는 N에서 N을/를 V−ㅂ/습니다　　　　N is V+N in/at N

Nouns that indicate a place take the particle 에서 if the verb used is neither 가다 or 오다.

선생님은 한국대학교에서 한국어를 가르칩니다.

마스미 씨는 백화점에서 쇼핑을 합니다.

벤슨 씨는 도서관에서 책을 읽습니다.

03 V–고 V

V and V

To indicate that another verb is coming along the sentence, attach the suffix V–고 to the verb stem and then put another verb afterwards. Regardless of whether there is a final consonant on the last syllable of the verb stem, use –고. For example: 읽다→읽고, 보다→보고

저는 주말에 한국어를 공부하고 친구를 만납니다.

비비엔 씨는 주말에 영화를 보고 커피를 마십니다.

스테파니 씨는 텔레비전을 보고 영화를 봅니다.

| Exercise | Fill in the blanks.

한국어를 공부하다/친구를 만나다	한국어를 공부하고 친구를 만납니다
책을 읽다/편지를 쓰다	
텔레비전을 보다/잠을 자다	
밥을 먹다/영화를 보다	
친구를 만나다/도서관에 가다	
커피를 마시다/음악을 듣다	
백화점에 가다/쇼핑하다	

회화 연습 CONVERSATION DRILLS

01 어디에 갑니까?
Where are you going?

Practice with the examples below.

퍼디
광화문

최지영 : 퍼디 씨, 어디에 갑니까?
퍼디 : 저는 광화문에 갑니다.

최지영
명동

가 : _____ 씨, 어디에 갑니까?
나 : 저는 _____에 갑니다.

리리
교회

가 : _____?
나 : _____.

마스미
백화점

가 : _____?
나 : _____.

왕샤위
식당

가 : _____?
나 : _____.

02 어디에서 커피를 마십니까?   Where do you drink coffee?

Practice with the examples below.

커피를
마시다
커피숍

최지영 : 로베르토 씨, 어디에서 커피를
　　　　마십니까?
로베르토 : 저는 커피숍에서 커피를
　　　　　마십니다.

한국어를
가르치다
학교

가 : 어디에서 한국어를 가르칩니까?
나 : 저는 _____에서 _____.

친구를
만나다
명동

가 : _____?
나 : _____.

비빔밥을
먹다
식당

가 : _____?
나 : _____.

책을 읽다
도서관

가 : _____?
나 : _____.

03 요리하고 청소합니다.   I cook and clean the house.

Practice with the examples below.

주말
요리하다
청소하다

최지영 : 퍼디 씨, 주말에 무엇을 합니까?
퍼디 : 저는 주말에 요리하고 청소합니다.

오늘 오후
텔레비전을
보다
편지를 쓰다

가 : 오늘 오후에 무엇을 합니까?
나 : 저는 _____에 _____고

_____.

오늘 오후
명동에서
영화를 보다
친구를 만나다

가 : _____?
나 : _____

_____.

일요일
공원에서
운동하다
그림을 그리다

가 : _____?
나 : _____

_____.

내일
신문을 읽다
커피를 마시다

가 : _____?
나 : _____

_____.

듣기 연습 LISTENING DRILLS

01 주말 활동 묻기 Asking one's weekend activities

The DVD will play each dialogue twice.
Listen carefully, and write down the correct answer.

왕샤위 : 스테파니 씨, 주말에 무엇을 합니까?

스테파니 : 저는 주말에 공원에서 운동하고 친구 집에 갑니다.

정답 : (②, ⑨) 공원에서 운동하고 친구 집에 갑니다.

1. (　　，　　) ＿＿＿＿＿＿고 ＿＿＿＿＿＿＿＿＿.

2. (　　，　　) ＿＿＿＿＿＿고 ＿＿＿＿＿＿＿＿＿.

3. (　　，　　) ＿＿＿＿＿＿고 ＿＿＿＿＿＿＿＿＿.

4. (　　，　　) ＿＿＿＿＿＿고 ＿＿＿＿＿＿＿＿＿.

이준기와 이야기하기 TALKING WITH JOON GI LEE

주말 계획 묻고 답하기 Asking question on one's weekend plan and answering it

Listen to the DVD and talk with Joon Gi Lee.

이준기   최지영 씨, 주말에 어디에 갑니까?

최지영   저는 주말에 광화문에 갑니다.

이준기   광화문에서 무엇을 합니까?

최지영   광화문에서 전시회를 보고 커피를 마십니다.
         이준기 씨는 주말에 어디에 갑니까?

이준기   저는 주말에 신촌에 갑니다.

최지영   신촌에서 무엇을 합니까?

이준기   신촌에서 가방을 사고 밥을 먹습니다.

가 _____ 씨, 주말에 어디에 갑니까?

나 저는 _____.

가 _____에서 무엇을 합니까?

나 _____고 _____.

_____ 씨는 주말에 어디에 갑니까?

가 저는 _____.

나 _____에서 무엇을 합니까?

가 _____고 _____.

동사 카드 —VERB CARDS

가다
to go

오다
to come

보다
to watch

만나다
to meet

먹다
to eat

마시다
to drink

듣다
to listen to

읽다
to read

편지를 쓰다
to write a letter

이야기하다
to talk to

춤을 추다
to dance

그림을 그리다
to draw a painting

가르치다
to teach

배우다
to learn

자다
to sleep

일어나다
to get up

Special

만들다
to make

사다
to purchase

팔다
to sell

바꾸다
to change

타다
to get on

(차에서) 내리다
to get off
(from a vehicle)

갈아타다
to transit

청소하다
to clean

노래하다
to sing (a song)

운동하다
to work out

요리하다
to cook

세수하다
to wash the face

샤워하다
to take a shower

수영하다
to swim

인터넷하다
to surf the Internet

공부하다
to study

Yeoido, The Epicenter of The Korean Wave

If you have been wondering where the epicenter of Hanryu,
the Korean wave, is, you should visit Yeoido.
This small island in the middle of the Han River
just like Manhattan Island in New York
has all the broadcasting companies in it, and of course,
all the TV and radio stars naturally commute to this district.
You could catch teams of movie makers taking shots here
all year round. You're extremely lucky
if you happen to be visiting in early spring,
because Yeoido has streets filled with
cherry trees that blossom like magic.
You never know, you might get to bump
into one of the celebrities while taking a walk here.

오늘은 날씨가 어떻습니까?

How is the weather today?

Chapter Goals

SITUATION
Talking about the
weather
VOCABULARY
Verbs-Weather
Adjectives-Weather
Basic adjectives
GRAMMAR
N이/가 어떻습니까?
N이/가 A-ㅂ/습니다
N이/가 A-ㅂ/습니까?
N이/가 A-지 않습니다
A 고 A
A-지만 A

왕 샤 위	스테파니 씨, 오늘은 날씨가 어떻습니까?
스테파니	오늘은 날씨가 좋습니다.
왕 샤 위	호주는 요즘 날씨가 어떻습니까?
스테파니	호주는 요즘 날씨가 덥고 비가 옵니다.
	중국은 요즘 날씨가 어떻습니까?
왕 샤 위	중국은 요즘 날씨가 좋지만 춥습니다.

The Korean expression "삼한사온," or three cold (days) and four warm (days), is a shortened expression that means three days of cold weather is followed by four warm days in winter. In Korea, spring generally begins in March and the weather gets warmer and then turns chilly again briefly. This cold weather is referred as "꽃샘추위," meaning the cold weather being jealous of the upcoming flower blossom.

어떻습니까[어떧씀니까/ʌt'ʌ(t)s'ɯmɲik'a]   좋습니다[졷:씀니다/tso:s'ɯmɲida]
덥고[덥:꼬/tə:pk'o]   좋지만[조:치만/tso:tsʰiman]   춥습니다[춥씀니다/tsʰups'ɯmɲida]

DVD로 들어 보세요

어휘와 표현 VOCABULARY AND EXPRESSIONS

01 동사 6 날씨 — Verb Group 6 Weather

(비가) 오다 (rain) comes   (비가) 내리다 (rain) falls

(눈이) 오다 (snow) comes   (눈이) 내리다 (snow) falls

(바람이) 불다 (wind) blows   (천둥이) 치다 (thunder) rolls

(번개가) 치다 (thunder) rolls   (안개가) 끼다 (fog) rolls

(구름이) 끼다 (cloud) rolls

02 형용사 1 날씨 — Adjecive Group 1 Weather

덥다 hot   춥다 cold

따뜻하다 warm   시원하다 nice and cool

쌀쌀하다 chilly   맑다 sunny

흐리다 cloudy

03 형용사 2 맛 — Adjecive Group 2 Tastes

맛있다 delicious   맛없다 not tasty

맵다 spicy   짜다 salty

달다 sweet   싱겁다 bland

쓰다 bitter   시다 sour

04 형용사 3 — Adjecive Group 3

빠르다 fast   느리다 slow

쉽다 easy	어렵다 difficult
재미있다 fun	재미없다 boring
어떻다 how	멋있다 gorgeous
복잡하다 crowded/complicated	예쁘다 beautiful
친절하다 kind	불친절하다 unkind
기쁘다 happy	슬프다 sad
나쁘다 bad	좋다 good
크다 big	작다 small
많다 many	적다 few
넓다 wide	좁다 narrow
싸다 inexpensive	비싸다 expensive
편리하다 convenient	불편하다 inconvenient

05 기타   Others

요즘 thesc days	물건 object
한국 음식 Korean food	김치 kimchi

격음화Aspiration
(Pronouncing consonants with strong burst of air)

 PRONUNCIATION RULES

Before or after ㅎ, consonants ㄱ, ㄷ, ㅂ and ㅈ combine with the ㅎ and turn to the aspiration consonants ㅋ, ㅌ, ㅍ and ㅊ.

$$좋지만 \Rightarrow [조ː치만]$$
$$ㅎ + ㅈ \Rightarrow ㅊ$$

많지[만ː치/maːntsʰi]   빨갛지[빨가치/pʼalgatsʰi]
그렇지[그러치/kɯrʌtsʰi]   노랗지[노ː라치/noːratsʰi]

문법 GRAMMAR

01 N이/가 어떻습니까?
N이/가 A-ㅂ/습니다

How is N?
N is A/V

For adjective stems whose last syllable has a final consonant, attach −습니다 to the stem. When the last syllable of the adjective stem does not have a final consonant, use −ㅂ니다 instead. This is similar to the case of the suffix V−ㅂ/습니까. When the last syllable ends with the final consonant ㄹ, then remove the ㄹ and attach −ㅂ니다 in its place.

날씨가 어떻습니까?

날씨가 좋습니다.

교실이 어떻습니까?

교실이 덥습니다.

한국 음식이 어떻습니까?

한국 음식이 맛있습니다.

02 N이/가 A-ㅂ/습니까?
N이/가 A-지 않습니다

Is N A?
N is not A

A−지 않습니다 is the negated form of the suffix A−ㅂ/습니다 regardless of whether the last syllable of the adjective stem has a final consonant or not.

날씨가 좋습니까?

날씨가 좋지 않습니다. 비가 옵니다.

불고기가 맵습니까?

불고기가 맵지 않습니다.

한국어 공부가 어렵습니까?

한국어 공부가 어렵지 않습니다.

03 A-고 A

A and A

To indicate that another adjective is coming in the sentence, attach the suffix A-고 to the adjective stem and then put another adjective afterwards. Regardless of whether there is a final consonant in the last syllable of the adjective stem, use A-고.

오늘은 날씨가 덥고 비가 옵니다.

지하철은 **빠르고** 편리합니다.

한국어 선생님은 친절하고 예쁩니다.

04 A-지만 A

A but A

When the suffix A-지만 is attached at the end of an adjective stem, another adjective that contrasts with what was said before follows in much the same way as the word "but." Whether there is a final consonant or not at the end of the adjective stem, only the form -지만 is used.

서울은 복잡하지만 깨끗합니다.

김치는 맵지만 맛있습니다.

이 음악은 좋지만 슬픕니다.

Exercise Fill in the blanks.

Base Form	When the last syllable has no final consonant: A-ㅂ니다/A-지 않습니다 When the last syllable has a final consonant: A-습니다/A-지 않습니다	
덥다	덥습니다	
춥다		춥지 않습니다
따뜻하다	따뜻합니다	따뜻하지 않습니다
시원하다	시원합니다	
비가 오다	비가 옵니다	
눈이 내리다		눈이 내리지 않습니다

회화 연습 CONVERSATION DRILLS

Practice with the examples below.

 오늘
날씨
좋다

왕샤위 : 스테파니 씨, 오늘은 날씨가
　　　　어떻습니까?
스테파니 : 오늘은 날씨가 좋습니다.

 호주
날씨
덥다

가 : 호주는 날씨가 어떻습니까?
나 : _____.

 일본
날씨
덥고 비 오다

가 : _____?
나 : _____.

 홍콩
날씨
시원하다

가 : _____?
나 : _____.

 제주도
날씨
따뜻하다

가 : _____?
나 : _____.

02 날씨가 좋지만 춥습니다.

Practice with the examples below.

오늘 날씨
좋다
춥다

왕샤위 : 스테파니 씨, 오늘은 날씨가
　　　　 어떻습니까?
스테파니 : 오늘은 날씨가 좋지만 춥습니다.

김치
맵다
맛있다

가 : 김치는 어떻습니까?
나 : _____.

한국 음식
맛있다
비싸다

가 : _____?
나 : _____.

지하철
빠르다
복잡하다

가 : _____?
나 : _____.

한국어 공부
어렵다
재미있다

가 : _____?
나 : _____.

03 아니요, 춥지 않습니다.   No, it is not cold.

Practice with the examples below.

오늘 날씨
춥다 X
따뜻하다 ○

왕샤위 : 스테파니 씨, 오늘은 날씨가
          춥습니까?
스테파니 : 아니요, 오늘은 날씨가
          춥지 않습니다. 따뜻합니다.

김치
맵다 X
맛있다 ○

가 : 김치는 맵습니까?
나 : 아니요, 김치는 _____.
    _____.

만들기
어렵다 X
쉽다 ○

가 : _____?
나 : _____.
    _____.

버스
사람이 적다 X
사람이 많다 ○

가 : _____?
나 : _____.
    _____.

백화점
싸다 X
비싸다 ○

가 : _____?
나 : _____.
    _____.

이준기와 이야기하기 TALKING WITH JOON GI LEE

날씨와 한국에 대한 인상 묻기 Asking the weather and asking one's impression of Korea

Listen to the DVD and talk with Joon Gi Lee.

이준기   왕샤위 씨는 어느 나라 사람입니까?

왕샤위   저는 중국 사람입니다.

이준기   중국은 요즘 날씨가 어떻습니까?

왕샤위   중국은 요즘 날씨가 시원합니다.

이준기   한국은 날씨가 어떻습니까?

왕샤위   한국은 날씨가 따뜻하고 좋습니다.

이준기   한국어 공부와 한국어 선생님은 어떻습니까?

왕샤위   한국어 공부는 어렵지만 재미있고,
　　　　한국어 선생님은 재미있고 친절합니다.

가 _____ 씨는 어느 나라 사람입니까?

나 저는 _____.

가 _____은/는 요즘 날씨가 _____?

나 _____은/는 요즘 날씨가 _____.

가 _____은/는 날씨가 _____?

나 _____은/는 날씨가 _____.

가 _____와/과 _____은/는 _____?

나 _____은/는 _____,

_____은/는 _____.

Special 형용사 카드 ADJECTIVE CARDS

크다
big

작다
small

많다
many

적다
few

길다
long

짧다
short

무겁다
heavy

가볍다
light

높다
high

낮다
low

빠르다
fast

느리다
slow

재미있다
fun

재미없다
boring

맛있다
delicious

맛없다
not tasty

Special

어렵다
difficult

쉽다
easy

뜨겁다
hot

차갑다
cold

밝다
bright

어둡다
dark

넓다
wide

좁다
narrow

멀다
far

가깝다
nearby

편리하다
convenient

불편하다
inconvenient

복잡하다
complicated

바쁘다
busy

예쁘다
pretty

맵다
spicy

Special

친절하다
kind

불친절하다
unkind

깨끗하다
clean

더럽다
dirty

기쁘다
happy

슬프다
sad

좋다
good/nice

나쁘다
bad

덥다
hot

춥다
cold

따뜻하다
warm

시원하다
cool

맑다
sunny

흐리다
cloudy

싸다
inexpensive

비싸다
expensive

الله أكبر

Itaewon, A Global Village in Seoul

People from all over the world have settled in Itaewon
in one way or another.
You could see various cultural elements from Asia,
Americas, Europe, Middle East and Africa.
Renowned in the world as a shopping avenue,
Itaewon is generally recognized
among Koreans as the most culturally diverse
district in Seoul.
Korea's largest Islamic temple sits
at the top of the hill overlooking
the Itaewon area, making itself
a jewel of diversity in Seoul.

오늘 뭐 해요?
What are you going to do today?

Chapter Goals
- - - - - - - - -
SITUATION
Asking the destination and answering it
VOCABULARY
Famous attractions in Seoul's vicinity
Verbs
-Pastime activities
GRAMMAR
A/V—아/어요
안A/V—아/어요
A/V—지 않아요

DVD로 들어 보세요

이준기	리리 씨, 어디에 가요?
리 리	저는 지금 도서관에 가요.
	이준기 씨도 도서관에 가요?
이준기	아니요, 저는 도서관에 안 가요.
	명동에 가요.
리 리	벤슨 씨도 같이 명동에 가요?
벤 슨	네, 저도 명동에 가요.
리 리	명동에서 뭐 해요?
벤 슨	우리는 같이 명동에서 쇼핑하고 밥을 먹어요.

▼
Korea's government and colleges have built many libraries buildings that you may visit freely. Notable library buildings include the National Assembly Library, which has the largest collection of books in Korea, and Namsan Public Library, which has a gorgeous path for walking. Seeing many books in those libraries might motivate you to study the Korean language more diligently.

도서관에[도서과네/tosʌgwane]   같이[가치/katsʰi]
밥을[바블/pabɯl]   먹어요[머거요/mʌgʌjo]

어휘와 표현 VOCABULARY AND EXPRESSIONS

01 장소 1 서울 근교의 유명한 장소   Famous attractions in Seoul's vicinity

민속촌   folk village

신촌   Shinchon

롯데월드   Lotte World

강남   Gangnam

서울랜드   Seoul Land

대학로   Daehangno

에버랜드   Everland

이태원   Itaewon

명동   Myeongdong

동대문시장   Dongdaemun Market

인사동   Insadong

남대문시장   Namdaemun Market

02 동사 7 놀이   Verb Group 7 Hanging out

바이킹을 타다   to ride the pirate ship

전통차를 마시다   to drink a traditional tea

놀이 기구를 타다   to go on a ride in an amusement park

롤러코스터를 타다   to ride a rollercoaster

선물을 사다   to buy a gift

노래방에 가다   to visit a noraebang

연극을 보다   to watch a play

춤을 추다   to dance

| 03 | 기타 | | Others |

무엇/뭐 what　　　　　　　　　같이 together

혼자 alone/by oneself　　　　방송국 TV/radio station

촬영 shooting/filming　　　　여의도 Yeouido

구개음화Palatalization

발·음·규·칙 PRONUNCIATION RULES

The final consonants ㄷ and ㅌ turn to ㅈ and ㅊ when followed by inflection morphemes that start with 이 or 히.

$$같이 \Rightarrow [가치]$$

ㅌ+이→치	같이[가치/katsʰi]	붙이다[부치다/putsʰida]
ㄷ+이→지	굳이[구지/kudʑi]	맏이[마지/madʑi]
ㄷ+히→지	닫히다[다치다/tatsʰida]	굳히다[구치다/kutsʰida]

경음화Fortis (Pronouncing consonants with force)

발·음·규·칙 PRONUNCIATION RULES

When the final consonants ㄷ, ㅌ, ㅅ, ㅆ, ㅈ and ㅊ meet with the initial consonants ㄱ, ㄷ, ㅂ, ㅅ or ㅈ on the next syllable, the initial consonants are pronounced as ㄲ, ㄸ, ㅃ, ㅆ or ㅉ.

$$춥습니다 \Rightarrow [춥씁니다]$$

$$ㅂ(ㅍ) + \begin{matrix} ㄱ \\ ㄷ \\ ㅂ \\ ㅅ \\ ㅈ \end{matrix} \Rightarrow \begin{matrix} ㄲ \\ ㄸ \\ ㅃ \\ ㅆ \\ ㅉ \end{matrix}$$

맵다[맵따/mɛpt'a]　　　　덥고[덥꼬/tə:pk'o]

높다[놉따/nopt'a]　　　　좁다[좁따/tsopt'a]

문법 GRAMMAR

01 A/V-아/어요

A/V Simple present tense

The meaning and the degree of politeness of A/V-아/어요 is the same as in the case of -ㅂ니다(습니다) but this sounds more feminine and soft. This suffix is frequently used by women or in informal settings.

가다 ⇒ (가아요) ⇒ 가요

좋다 ⇒ 좋아요

서다 ⇒ (서어요) ⇒ 서요

먹다 ⇒ 먹어요

마시다 ⇒ 마셔요

가르치다 ⇒ 가르쳐요

---

explanation | Converting to the A/V -아/어요 form |

When converting an adjective or a verb to the A/V-아/어요 form, the following rules apply. If the last syllable of the adjective/verb stem is 하, replace it with 해요. Use -아요 when it is not 하 but contains either ㅏ or ㅗ in it. Use -어요 when it is not 하 AND does not have ㅏ or ㅗ with it.

Verbs with the vowels ㅏ or ㅗ on the last syllable of the stem:
좋다 → 좋다 + 아요 → 좋아요

Verbs with the other vowels on the last syllable of the stem:
먹다 → 먹다 + 어요 → 먹어요

Verbs that end with the suffix -하다:
공부하다 → 공부하다 + 해요 → 공부해요

02 안 A/V–아/어요   A/V Simple present negative form

Negation of the adjective/verb form of A/V–아/어요 can be done simply by attaching 안 before the stem, the base form becoming the form 안 A/V–아/어요. Note that when a verb ends with –하다 as in the case of 공부하다, the negative form is 공부 안 해요, not 안 공부해요.

가다 ⇒ 안 가요   보다 ⇒ 안 봐요

서다 ⇒ 안 서요   배우다 ⇒ 안 배워요

공부하다 ⇒ 공부 안 해요

03 A/V–지 않아요   A/V Simple present negative form

One informal negation form is A/V–지 않아요, yet 안 A/V–아/어요 is a more explicit expression.

가다 ⇒ 가지 않아요   바쁘다 ⇒ 바쁘지 않아요

먹다 ⇒ 먹지 않아요   덥다 ⇒ 덥지 않아요

따뜻하다 ⇒ 따뜻하지 않아요

Exercise | Fill in the blanks.

Base Form	A/V–아/어요	안 A/V–아/어요	A/V–지 않아요
가다	가요	안 가요	가지 않아요
만나다			
오다			
보다			
앉다			
서다			
배우다			
먹다			
그리다			
가르치다			
마시다			
요리하다			
청소하다			
춥다			
덥다			

회화 연습 CONVERSATION DRILLS

Practice with the examples below.

공원

이준기 : 퍼디 씨, 어디에 가요?
퍼디 : 저는 공원에 가요.

도서관 X
은행 ○

이준기 : 퍼디 씨, 도서관에 가요?
퍼디 : 아니요, 도서관에 안 가요.
　　　　은행에 가요.

민속촌

가 : ＿＿＿＿＿＿＿＿＿＿＿＿＿＿＿?
나 : ＿＿＿＿＿＿＿＿＿＿＿＿＿＿＿.

민속촌 X
롯데월드 ○

가 : ＿＿＿＿＿＿＿＿＿＿＿＿＿＿＿?
나 : ＿＿＿＿＿＿＿＿＿＿＿＿＿＿＿.
　　　＿＿＿＿＿＿＿＿＿＿＿＿＿＿＿.

강남 X
신촌 ○

가 : ＿＿＿＿＿＿＿＿＿＿＿＿＿＿＿?
나 : ＿＿＿＿＿＿＿＿＿＿＿＿＿＿＿.
　　　＿＿＿＿＿＿＿＿＿＿＿＿＿＿＿.

02 오늘 뭐 해요?

Practice with the examples below.

대학로
연극을 보다

이준기 : 리리 씨, 오늘 뭐 해요?
리리 : 저는 대학로에서 연극을 봐요.

롯데월드
바이킹을
타다

가 : 오늘 뭐 해요?
나 : 저는 _____.

인사동
전통차를
마시다

가 : _____?
나 : 저는 _____.

공원
그림을
그리다

가 : _____?
나 : _____.

강남
떡볶이를
먹다
쇼핑을 하다

가 : _____?
나 : _____
_____.

03 **아니요, 책을 안 읽어요.**　　　　　　　　　　　　　　No, I don't read books.

Practice with the examples below.

도서관
책을 읽다 X
인터넷하다 ○

이준기 : 퍼디 씨, 도서관에서 책을 읽어요?
퍼디 : 아니요, 저는 책을 안 읽어요.
　　　　인터넷해요.

명동
영화를 보다 X
친구를
만나다 ○

가 : 명동에서 영화를 봐요?
나 : 아니요, 저는 ＿＿＿＿＿＿＿＿＿＿＿.
　　＿＿＿＿＿＿＿＿＿＿＿＿＿＿＿.

학교
한국어를
공부하다 X
영어를
가르치다 ○

가 : ＿＿＿＿＿＿＿＿＿＿＿＿＿?
나 : ＿＿＿＿＿＿＿＿＿＿＿＿＿.
　　＿＿＿＿＿＿＿＿＿＿＿＿＿.

집
텔레비전을
보다 X
청소하다 ○

가 : ＿＿＿＿＿＿＿＿＿＿＿＿＿?
나 : ＿＿＿＿＿＿＿＿＿＿＿＿＿.
　　＿＿＿＿＿＿＿＿＿＿＿＿＿.

롯데월드
바이킹을
타다 X
롤러코스터를
타다 ○

가 : ＿＿＿＿＿＿＿＿＿＿＿＿＿?
나 : ＿＿＿＿＿＿＿＿＿＿＿＿＿.
　　＿＿＿＿＿＿＿＿＿＿＿＿＿.

듣기 연습 LISTENING DRILLS

01 주말 활동 묻기

The DVD will play each dialogue twice.
Listen carefully, and write down the correct answer.

왕샤위 : 리리 씨, 주말에 뭐 해요?

리리 : 명동에서 쇼핑하고 맥주를 마셔요.

정답:(①, ⑤) 명동에서 쇼핑하고 맥주를 마셔요.

①

②

③

④

⑤

⑥

⑦

⑧

⑨

1. (,   ) _____고 _____.

2. (,   ) _____고 _____.

3. (,   ) _____고 _____.

4. (,   ) _____고 _____.

이준기와 이야기하기 TALKING WITH JOON GI LEE

친구의 오늘 일정 묻기 Asking your friend's daily routine

Listen to the DVD and talk with Joon Gi Lee.

이준기   리리 씨, 오늘 뭐 해요?

리 리   저는 오늘 한국어를 공부해요.

이준기   어디에서 한국어를 공부해요?

리 리   도서관에서 한국어를 공부해요.
          이준기 씨는 오늘 뭐 해요?

이준기   저는 오늘 여의도에 가요.

리 리   여의도에서 뭐 해요?

이준기   여의도 방송국에서 촬영이 있어요.

가   _____ 씨, 오늘 뭐 해요?

나   저는 _____.

가   어디에서 _____?

나   _____에서 _____.
      _____ 씨는 _____?

가   저는 _____.

나   _____에서 _____?

가   _____에서 _____.

동사·형용사 활용표

VERBS AND ADJECTIVES CONJUGATION LIST

The following is a conjugation chart of the various forms of verbs and adjectives that have been covered so far. Use the chart for your review.

Base Form	A/V-ㅂ/습니다	A/V-지 않습니다	A/V-아/어요	안 A/V-아/어요
가다	갑니다	가지 않습니다	가요	안 가요
만나다	만납니다	만나지 않습니다	만나요	안 만나요
보다	봅니다	보지 않습니다	봐요	안 봐요
오다	옵니다	오지 않습니다	와요	안 와요
먹다	먹습니다	먹지 않습니다	먹어요	안 먹어요
마시다	마십니다	마시지 않습니다	마셔요	안 마셔요
만들다	만듭니다	만들지 않습니다	만들어요	안 만들어요
팔다	팝니다	팔지 않습니다	팔아요	안 팔아요
듣다	듣습니다	듣지 않습니다	들어요	안 들어요

Special

Base Form	A/V-ㅂ/습니다	A/V-지 않습니다	A/V-아/어요	안 A/V-아/어요
요리하다	요리합니다	요리하지 않습니다	요리해요	요리 안 해요
청소하다	청소합니다	청소하지 않습니다	청소해요	청소 안 해요
춥다	춥습니다	춥지 않습니다	추워요	안 추워요
덥다	덥습니다	덥지 않습니다	더워요	안 더워요
맛있다	맛있습니다	맛있지 않습니다	맛있어요	안 맛있어요
좋다	좋습니다	좋지 않습니다	좋아요	안 좋아요
많다	많습니다	많지 않습니다	많아요	안 많아요
비싸다	비쌉니다	비싸지 않습니다	비싸요	안 비싸요
친절하다	친절합니다	친절하지 않습니다	친절해요	안 친절해요

백화점에 가서 쇼핑해요

I am going shopping at a department store

Chapter Goals

SITUATION
Discussing
daily schedule
VOCABULARY
Verbs-Daily activities
GRAMMAR
V–아/어서 V

DVD로 들어 보세요

최지영	벤슨 씨, 주말에 보통 뭐 해요?
벤 슨	저는 주말에 보통 아침에 일어나서
	커피를 마셔요.
	그리고 백화점에 가서 쇼핑해요.
	오후에 친구를 만나서 영화를 봐요.
	저녁에 요리해서 친구와 같이 먹어요.

▼
Instant coffee is popular
among Koreans. Many
expatriates having lived in
Korea for more than a few
years find instant coffee
favorable to their taste after
having gotten used to
strong-tasting Korean
dishes.

주말에[주마레/tsumare]   아침에[아치메/atsʰime]
백화점에[배콰저메/pɛkʰwadzʌme]   같이[가치/katsʰi]   먹어요[머거요/mʌgʌjo]

DVD로 들어 보세요

어휘와 표현 VOCABULARY AND EXPRESSIONS

01 동사 8 일상생활   Verb Group 8 Daily activities

주다   to give (something/ to someone)

보내다   to send (something)

일어나다   to wake up/get up/stand up

샤워하다   to take a shower

선물하다   to give a present

편지를 쓰다   to write a letter

테니스를 치다   to play tennis

농구를 하다   to play basketball

자전거를 타다   to ride on a bicycle/to take a bicycle (to some place)

정리하다   to go over/arrange/sort out

02 기타   Others

신문   newspaper   일과   daily routine

대학교   university/college   보통   usually

격음화 Aspiration
(Pronouncing consonants with strong burst of air)

발 음 규 칙 PRONUNCIATION RULES

Before or after ㅎ, consonants ㄱ, ㄷ, ㅂ and ㅈ combine with the ㅎ and turn to the aspiration consonants ㅋ, ㅌ, ㅍ and ㅊ.

$$백화점 \Rightarrow [배콰점]$$
$$ㄱ + ㅎ \Rightarrow ㅋ$$

축하해요[추카해요/tsʰukʰahɛjo]   박하사탕[바카사탕/pakʰasatʰaŋ]

각하[가카/kakʰa]   낙하산[나카산/nakʰasan]

문법GRAMMAR

01 V–아/어서 V

V–아/어서 V

아침에 일어나서 커피를 마셔요.
아침에 일어나서 샤워를 해요.

학교에 와서 공부해요.
도서관에 가서 책을 읽어요.

친구를 만나서 영화를 봐요.
로이 씨를 만나서 쇼핑해요.

explanation The form V고 V from Chapter 8 simply connects verbs. The form V 아/어/서 V on the other hand implies that there is a time order of the verbs, and has three meanings as follows: 1. and in that place, 2. and together with that person, 3. and for that.

아침에 일어나요→(아침에)→커피를 마셔요⇒아침에 일어나서 커피를 마셔요.
친구를 만나요→(그 친구와 같이)→영화를 봐요⇒친구를 만나서 영화를 봐요.
빵을 사요→(그 빵을)→먹어요⇒빵을 사서 먹어요.
학교에 가요→(학교에서)→공부해요⇒학교에서 공부해요.

explanation | **Making the V1–아/어서 V2 form is the same as in V–아/어요.** |

If the last syllable of the adjective/verb stem is 하, replace it with 해서. Use —아서 when it is not 하 but contains either ㅏ or ㅗ in it. Use —어서 when it is not 하 AND does not have ㅏ or ㅗ with it.

Verbs with the vowels ㅏ or ㅗ on the last syllable of the stem:
일어나다→일어나다+아서→일어나서

Verbs with the other vowels on the last syllable of the stem:
만들다→만들다+어서→만들어서

Verbs that end with the suffix —하다: 요리하다→요리하다+해서→요리해서

회화 연습 CONVERSATION DRILLS

01 아침에 일어나서 커피를 마셔요. I get up in the morning and have some coffee.

Practice with the examples below.

아침에
일어나다
커피를
마시다

최지영 : 벤슨 씨, 아침에 일어나서 보통
　　　　　뭐 해요?
벤슨 : 저는 아침에 일어나서 커피를 마셔요.

아침에
일어나다
신문을 읽다

가 : ＿＿＿＿＿＿＿＿＿＿＿＿＿ 뭐 해요?

나 : 저는 ＿＿＿＿＿＿＿＿＿＿＿＿＿.

아침에
일어나다
청소하다

가 : ＿＿＿＿＿＿＿＿＿＿＿＿＿?

나 : ＿＿＿＿＿＿＿＿＿＿＿＿＿.

아침에
일어나다
샤워하다

가 : ＿＿＿＿＿＿＿＿＿＿＿＿＿?

나 : ＿＿＿＿＿＿＿＿＿＿＿＿＿.

아침에
일어나다
밥을 먹다

가 : ＿＿＿＿＿＿＿＿＿＿＿＿＿?

나 : ＿＿＿＿＿＿＿＿＿＿＿＿＿.

02 학교에 가서 공부해요. I go to school and study.

Practice with the examples below.

학교에 가다
공부하다

최지영 : 비비엔 씨, 학교에 가서 보통
　　　　　뭐 해요?
비비엔 : 저는 학교에 가서 공부해요.

학교에 가다
친구를
만나다

가 : _____ 뭐 해요?

나 : 저는 _____.

동대문시장에
가다
옷을 사다

가 : _____?

나 : _____.

이태원에
가다
맥주를 마시다

가 : _____?

나 : _____.

인사동에
가다
선물을 사다

가 : _____?

나 : _____.

03 친구를 만나서 테니스를 쳐요. I meet my friend and play tennis (with him/her).

Practice with the examples below.

친구를
만나다
테니스를
치다

최지영 : 벤슨 씨, 친구를 만나서 보통
　　　　　뭐 해요?
벤슨 : 저는 친구를 만나서 테니스를 쳐요.

친구를 만나다
커피를
마시다

가 : _____ 뭐 해요?

나 : 저는 _____.

친구를
만나다
영화를 보다

가 : _____?

나 : _____.

이준기 씨를
만나다
피자를 먹다

가 : _____?

나 : _____.

로이 씨를
만나다
놀이 기구를
타다

가 : _____?

나 : _____.

04 **꽃을 사서 친구에게 줘요.**　I buy a flower and give (it) to my friend.

Practice with the examples below.

꽃을 사다
친구에게
주다

최지영 : 벤슨 씨, 꽃을 사서 뭐 해요?

벤슨 : 꽃을 사서 친구에게 줘요.

요리하다
친구와
같이 먹다

가 : ＿＿＿＿＿＿＿＿＿＿＿＿ 뭐 해요?

나 : 저는 ＿＿＿＿＿＿＿＿＿＿＿＿.

김치를
만들다
친구에게
주다

가 : ＿＿＿＿＿＿＿＿＿＿＿＿?

나 : ＿＿＿＿＿＿＿＿＿＿＿＿.

스파게티를
만들다
친구와
같이 먹다

가 : ＿＿＿＿＿＿＿＿＿＿＿＿?

나 : ＿＿＿＿＿＿＿＿＿＿＿＿.

편지를 쓰다
친구에게
보내다

가 : ＿＿＿＿＿＿＿＿＿＿＿＿?

나 : ＿＿＿＿＿＿＿＿＿＿＿＿.

듣기 연습 LISTENING DRILLS

01 **하루 일과 묻기** Asking question on your friend's everyday schedule

The DVD will play each dialogue twice.
Listen carefully, and write down the correct answer.

최지영 : 벤슨 씨, 보통 아침에 일어나서 뭐 해요?

벤슨 : 저는 아침에 일어나서 샤워하고 커피를 마셔요.

정답:(⑦, ⑨) 샤워하고 커피를 마셔요.

1. (,   ) _____고 _____.

2. (,   ) _____고 _____.

3. (,   ) _____고 _____.

4. (,   ) _____고 _____.

이준기와 이야기하기 TALKING WITH JOON GI LEE

친구의 생활에 대해 묻기 Asking question on your friend's everyday schedule

Listen to the DVD and talk with Joon Gi Lee.

벤 슨	이준기 씨, 보통 아침에 일어나서 뭐 해요?
이준기	저는 보통 아침에 일어나서 공원에서 운동해요. 그리고 집에 와서 샤워하고, 요리해서 밥을 먹어요.
벤 슨	주말에는 보통 뭐 해요?
이준기	태국 친구를 만나서 태국어 공부를 해요. 그리고 집에 와서 일주일 일과를 정리하고 자요. 벤슨 씨는 주말에 보통 뭐 해요?
벤 슨	저는 주말에 보통 영화를 보고 친구를 만나요.

가 _____ 씨, 보통 아침에 일어나서 뭐 해요?

나 저는 _____.

그리고 _____.

가 주말에는 보통 뭐 해요?

나 _____.

_____ 씨는 _____?

가 저는 _____.

으 불규칙 으IRREGULAR

The 으 irregular rule applies when the last syllable of an adjective or a verb does not have a final consonant and has ㅡ as its vowel. The rule says that putting certain suffixes after an 으 irregular verb requires removal of the vowel ㅡ and attaching the suffixes such as 아/어요 or 아/어서 after the remaining consonant.

When the syllable before the last 으 syllable has the medial vowel ㅏ or ㅗ:
바쁘다→바쁘다+아요→바빠요

When the syllable before the last 으 syllable does NOT have the medial vowel ㅏ or ㅗ:
예쁘다→예쁘다+어요→예뻐요

When there is no syllable before the 으 syllable: 쓰다→쓰다+어요→써요

바쁘다	바쁩니다 바빠요	바쁘지 않습니다 안 바빠요	바쁘고 바쁘지 않아요	바쁘지만 바빠서
아프다		아프지 않습니다 안 아파요	아프고 아프지 않아요	아프지만 아파서
예쁘다	예쁩니다 예뻐요		예쁘고 예쁘지 않아요	
기쁘다		기쁘지 않습니다 안 기뻐요		
쓰다	씁니다 써요		쓰고 쓰지 않아요	쓰지만 써서

ㄷ 불규칙 ㄷ IRREGULAR

When a suffix that starts with a vowel as in the cases of −아/어요, 아/어서, −(으)면, then −(으)세요 is attached to a word stem that has the final consonant of ㄷ like 듣다, 걷다 and 묻다, the final consonant ㄷ of the stem's last syllable is converted to ㄹ. This is called the ㄷ irregular rule.

How to apply the ㄷ irregular rule to an adjective/verb

When 듣다, 걷다 or 묻다 is used with the stems as −아/어요, or −(으)면, the base suffix 다 is removed and the final consonant ㄷ is converted to ㄹ. So, the verb 듣다 could take the forms of 들어요 and 들으면.

듣다→듣다아/어요→들어요
듣다→듣다(으)면→들으면

듣다	듣습니다	듣고	듣지만		
	들어요	들을까요?	들읍시다	들으면	들으세요
걷다	걷습니다	걷고	걷지만		
	걸어요	걸을까요?	걸읍시다	걸으면	걸으세요
묻다	묻습니다	묻고	묻지만		
	물어요	물을까요?	물읍시다	물으면	물으세요

Apgujeong,

The Place Where Luxurious Lifestyle and Celebrities Mix

You will probably bump into celebrities in Apgugeong,
where luxury shops and fancy restaurants thrive.
Koreans who love to follow the latest fashion
take walks in here, and these include celebrities,
who oftentimes are regular customers
to the luxurious restaurants and bars in this district.
This region also is the center of art and entertainment
—Korea's high—end wedding shops, celebrity agency offices,
movie makers and music production offices
are located in Apgujeong.
There also are many aesthetics shops
that attract girls who wish to improve their looks.
Aren't you already tempted to take a leisurely
walk in this district of Korean celebrity?

어제 영화를 봤어요
I saw a movie yesterday

Chpapter Goals

SITUATION
Talking about the past
VOCABULARY
Food
Tourlst destinations
Verbs-Hobbies
GRAMMAR
A/V-았/었어요
안 A/V-았/었어요
A/V-지 않았어요
N의 N

이준기	마스미 씨, 어제 무엇을 했어요?
마스미	명동에서 커피를 마시고 영화를 봤어요.
이준기	무슨 영화를 봤어요?
마스미	〈왕의 남자〉를 봤어요.
	이준기 씨는 어제 뭘 했어요?
이준기	친구와 같이 동대문시장에 갔어요.
마스미	동대문시장에서 뭘 했어요?
이준기	동대문시장에서 옷을 사고 비빔국수를 먹었어요.

The King and the Clown, a film on the life of clowns in Joseon Dynasty's royal court, sold more than 10 million tickets in Korea, which has a population of about 50 million. Joon Gi Lee, became a Korean wave celebrity after the movie. The movie bea-utifully portrayed the art and culture of the common people during that period.

했어요[해써요/hɛ(t)s'ʌjo]　봤어요[봐:써요/pwa:(t)s'ʌjo]　왕의[왕에/waŋe]
옷을[오슬/osɯl]　국수[국쑤/kuks'u]　갔어요[가써요/ka(t)s'ʌjo]

DVD로 들어 보세요

어휘와 표현 VOCABULARY AND EXPRESSIONS

01 음식　　　　　　　　　　　　　　　　　　　　　　　　Food

비빔국수　bibimguksu	만두　mandu
비빔밥　bibimbap	갈비탕　galbitang
김치찌개　kimchi jjigae	냉면　naengmyeon
된장찌개　doenjang jjigae	칼국수　kalguksu
피자　pizza	

02 여행지　　　　　　　　　　　　　　　　　　　　Tourist destinations

산　mountain	북한산　Mt. Bukhan
설악산　Mt. Seorak	도봉산　Mt. Dobong
바다　the sea	놀이동산　amusement park
온천　spa	호수　lake

03 동사 9 취미　　　　　　　　　　　　　　Verb Group 9 Hobbies

등산을 하다　to go hiking

피아노[기타]를 치다　to play the piano/guitar

골프[테니스/볼링]을/를 치다　to play golf/bowling/tennis

스키[스케이트]를 타다　to ski/skate

태권도를 하다　to practice taekwondo

[수영/축구]을/를 하다　to swim/play soccer

04 기타   Others

무엇을=뭘   what

왕의 남자   The King and the Clown

테니스장   tennis court

태권도장   taekwondo school

우리 동네   my neighborhood/my town

바   bar

'의'의 발음(Pronunciation of the syllable 의)

발 음 규 칙 PRONUNCIATION RULES

The vowel 의 varies in its pronunciation between 의 and 이. If the first consonant is a consonant other than ㅇ, it is read 이. If it is used as a particle, it is read 에.

▶ When it appears on the first syllable of a word: 의사[의사/ɰisa]

▶ When the initial consonant is not null: 희망[히망/himaŋ]

▶ When the syllable that contains the vowel 의 does not appear

as the first syllable of a word: 민주주의[민주주이/mindzudzui]

▶ When 의 is used as a particle: 왕의 남자[왕에 남자/waŋenamdza]

문법 GRAMMAR

01 A/V-았/었어요

가다 ⟹ 갔어요

좋다 ⟹ 좋았어요

배우다 ⟹ 배웠어요

먹다 ⟹ 먹었어요

읽다 ⟹ 읽었어요

explanation | **Converting to the A/V-았/었어요 form** |

This is a past tense form of adjectives and verbs. Remove 다 from the base form. When the last syllable of the stem has ㅏ or ㅗ as its vowel, attach 았어요. For other vowels, choose 었어요 instead.

When the syllable of the stem has the medial vowels ㅏ or ㅗ:
좋다→좋다+았어요→좋았어요

When the syllable of the stem does NOT have the medial vowels ㅏ or ㅗ:
먹다→먹다+었어요→먹었어요

Verbs that take the 하다 suffix: 공부하다→공부하다+했어요→공부했어요

explanation | **A shortcut to A/V-았/었어요 conversion** |

If you can use the A/V-아/어요 form, then try removing -요 and attaching 从어요 instead.

가요→가요+从어요→갔어요
먹어요→먹어요+从어요→먹었어요
공부해요→공부해요+从어요→공부했어요

02 안 A/V−았/었어요   Did not V/was not(were not) A

가다 ⇒ 안 갔어요

좋다 ⇒ 안 좋았어요

먹다 ⇒ 안 먹었어요

공부하다 ⇒ 공부 안 했어요

03 A/V−지 않았어요   Did not V/was not(were not) A

가다 ⇒ 가지 않았어요

마시다 ⇒ 마시지 않았어요

읽다 ⇒ 읽지 않았어요

공부하다 ⇒ 공부하지 않았어요

04 N의 N

N's N

왕의 남자	스테파니 씨의 친구
유 선생님의 학생	최지영 씨의 휴대폰
한국의 산	오늘의 뉴스

Exercise Fill in the blanks.

Base Form	A/V-았/었어요	안 A/V-았/었어요	A/V-지 않았어요
가다	갔어요	안 갔어요	가지 않았어요
만나다	만났어요		만나지 않았어요
오다	왔어요		
보다	봤어요	안 봤어요	
앉다		안 앉았어요	앉지 않았어요
배우다			배우지 않았어요
읽다		읽지 않았어요	
그리다		안 그렸어요	

회화 연습 CONVERSATION DRILLS

01 **지난 주말에 어디에 갔어요?**   Where did you go last weekend?

Practice with the examples below.

 지난 주말
바다

이준기 : 마스미 씨, 지난 주말에 어디에
　　　　갔어요?
마스미 : 저는 지난 주말에 바다에 갔어요.

 지난 주말
도서관

가 : 지난 주말에 어디에 갔어요?

나 : 저는 ＿＿＿＿＿＿＿＿＿＿＿＿.

 지난 주말
설악산

가 : ＿＿＿＿＿＿＿＿＿＿＿＿?

나 : ＿＿＿＿＿＿＿＿＿＿＿＿.

 지난 주말
온천

가 : ＿＿＿＿＿＿＿＿＿＿＿＿?

나 : ＿＿＿＿＿＿＿＿＿＿＿＿.

 지난 주말
놀이동산

가 : ＿＿＿＿＿＿＿＿＿＿＿＿?

나 : ＿＿＿＿＿＿＿＿＿＿＿＿.

02 지난 주말에 민속촌에 갔어요? Did you go to the folk village last weekend?

Practice with the examples below.

민속촌 X
롯데월드 ○

이준기 : 마스미 씨, 지난 주말에 민속촌에
　　　　갔어요?
마스미 : 아니요, 저는 민속촌에 안 갔어요.
　　　　롯데월드에 갔어요.

도서관 X
백화점 ○

가 : 지난 주말에 도서관에 갔어요?
나 : 아니요, 저는 _____에 안 갔어요.
　　_____.

설악산 X
온천 ○

가 : _____?
나 : _____.
　　_____.

바다 X
산 ○

가 : _____?
나 : _____.
　　_____.

부산 X
제주도 ○

가 : _____?
나 : _____.
　　_____.

03 **어제 무엇을 했어요?**   What did you do yesterday?

Practice with the examples below.

어제, 집
텔레비전을
보다
책을 읽다

이준기 : 마스미 씨, 어제 무엇을 했어요?

마스미 : 저는 어제 집에서 텔레비전을
　　　　　보고 책을 읽었어요.

어제, 영화관
영화를 보다
술을 마시다

가 : 어제 무엇을 했어요?

나 : _____

_____ .

어제, 집
텔레비전을
보다
청소하다

가 : _____ ?

나 : _____

_____ .

지난 주말
명동
피자를 먹다
쇼핑을 하다

가 : _____ ?

나 : _____

_____ .

지난 주말
이태원
술을 마시다
춤을 추다

가 : _____ ?

나 : _____

_____ .

208

04 아니요, 태권도를 안 했어요. No, I did not practice taekwondo. I played tennis.

Practice with the examples below.

어제, 학교
태권도를
하다 X
테니스를
치다 ○

이준기 : 마스미 씨, 어제 학교에서
태권도를 했어요?

마스미 : 아니요, 저는 태권도를 안 했어요.
테니스를 쳤어요.

어제, 명동
영화를 보다 X
친구를
만나다 ○

가 : 어제 명동에서 영화를 봤어요?

나 : 아니요, 저는 _____를 안 봤어요.

_____.

어제, 도서관
책을 읽다 X
인터넷을
하다 ○

가 : _____?

나 : _____.

_____.

어제, 집
피아노를
치다 X
기타를 치다 ○

가 : _____?

나 : _____.

_____.

지난 주말
등산을 하다 X
골프를 치다 ○

가 : _____?

나 : _____.

_____.

듣기 연습 LISTENING DRILLS

DVD로 들어 보세요

The DVD will play each dialogue twice.
Listen carefully, and write down the correct answer.

퍼디 : 마스미 씨, 지난 주말에 무엇을 했어요?

마스미 : 저는 지난 주말에 스키를 타고 수영을 했어요.

정답:(③, ④) 스키를 타고 수영을 했어요.

1. (,   ) _____고 _____.

2. (,   ) _____고 _____.

3. (,   ) _____고 _____.

4. (,   ) _____고 _____.

DVD로 들어 보세요

이준기와 이야기하기 TALKING WITH JOON GI LEE

01 지난 주말 활동 이야기하기 Talking about what you did during the weekend

Listen to the DVD and talk with Joon Gi Lee.

이준기 비비엔 씨, 주말에 뭐 했어요?

비비엔 저는 주말에 친구와 같이 쇼핑했어요.

이준기 어디에서 쇼핑했어요?

비비엔 명동에서 쇼핑했어요.

　　　　이준기 씨는 주말에 뭐 했어요?

이준기 저는 주말에 운동했어요.

비비엔 무슨 운동을 했어요?

이준기 태권도를 했어요.

가 ＿＿＿＿＿＿ 씨, 주말에 뭐 했어요?

나 저는 ＿＿＿＿＿＿＿＿＿＿＿＿＿＿＿.

가 어디에서 ＿＿＿＿＿＿＿＿＿＿＿＿＿?

나 ＿＿＿＿＿에서 ＿＿＿＿＿＿＿＿＿＿.

　　＿＿＿＿＿＿ 씨는 주말에 뭐 했어요?

가 저는 ＿＿＿＿＿＿＿＿＿＿＿＿＿＿＿.

나 ＿＿＿＿＿＿＿＿＿＿＿＿＿＿＿＿＿?

가 ＿＿＿＿＿＿＿＿＿＿＿＿＿＿＿＿＿.

02 일기 쓰기|Writing a diary
Keep your daily journal as Joon Gi Lee does.

2010년 5월 5일 맑다 ☼

어제는 날씨가 아주 좋았어요.
선생님과 친구들이 우리 집에 왔어요.
비비엔 씨는 남자 친구하고 같이 왔어요.
우리는 같이 스페인 음식과 중국 음식을 먹고
일본 차를 마셨어요.
비비엔 씨와 로베르토 씨는 노래를 했어요.
로이 씨도 홍콩 노래를 했어요.
아주 좋았어요.

년   월   일

취미 카드 NOUN CARDS ON HOBBIES

독서
book reading

음악 감상
listening to music

인터넷을 하다
to surf the Internet

그림을 그리다
to draw a painting

노래하다
to sing
(a song)

요리하다
to cook

춤을 추다
to dance

텔레비전을 보다
to watch TV

테니스를 치다
to play tennis

기타를 치다
to play the guitar

수영하다
to swim

골프를 치다
to play golf

스키를 타다
to ski

태권도를 하다
to practice
taekwondo

농구를 하다
to play
basketball

쇼핑하다
to go shopping

등산을 하다
to go hiking

스케이트를 타다
to skate

피아노를 치다
to play the piano

영화를 보다
to watch a movie

걷기
walking

공연을 보다
to watch a play

놀이공원에 가다
to go to
an amusement park

산책을 히다
to take a walk

신문을 보다
to read the
newspaper

야구를 하다
to play baseball

여행을 가다
to travel
(=to go on a trip)

연을 날리다
to fly a kite

운동을 하다
to work out

차를 마시다
to have some tea

클럽에 가다
to go to a club

편지를 쓰다
to write a letter

Daehangno, Avenue of Play Performance

It would not be an exaggeration to state
that Korea's modern play theater culture was born in Daehangno.
There breathe young musical actors' dreams and passion.
You can enjoy street performances held everyday
in the Maronie Park in Daehangno.
It is safe to assume that half the pedestrians
you see in Daehangno area are actors.
Come and enjoy witnessing passionate actors
and actresses at small theaters in Daehangno.

오늘 한잔 어때요?
How about a drink tonight?

Chapter Goals

SITUATION
Making an appointment
VOCABULARY
Verbs–Appointment
GRAMMAR
V–(으)ㄹ까요?
V–(으)ㅂ시다
A/V–(으)면 A/V

DVD로 들어 보세요

최지영   퍼디 씨, 오늘 시간이 있으면 한잔 어때요?

퍼 디   좋아요. 어디로 갈까요?

최지영   광화문 호프로 갑시다.

퍼 디   네, 좋아요. 그럼 어디에서 만날까요?

최지영   오늘 저녁 6시에 한국대학교 앞에서
         만납시다.

퍼 디   네, 좋아요.

Bars that sell beer are called "호프" in Korea. You can find many of them near colleges or business districts. Quite a few of them sell a wide variety of beer from all over the world. Koreans love to order side dishes such as chicken and pork cutlet along with their beer.

있으면[이쓰면/i(t)s'ɯmjʌn]   좋아요[조:아요/tso:ajo]   옆의[여폐/jʌpe]
갑시다[갑씨다/kapɕ'ida]   여섯 시에[여서씨에/jʌsʌ(t)ɕ'ie]

DVD로 들어 보세요

어휘와 표현 VOCABULARY AND EXPRESSIONS

01 동사 10 약속   Verb Group 10 Appointment

끝나다   to be done/to be finished

방학하다(＝방학을 하다)   school holiday starts

파티를 하다   to have a party

여행하다(＝여행을 가다)   to travel (＝to go on a trip)

한잔하다   to have an (alcoholic) drink

시간이 있다   to have some free time

시간이 없다   to have no free time

02 기타   Others

경복궁   Gyeongbokgung   약   medicine

고향   hometown   유럽   Europe

호프   pub   타이타닉   the Titanic

007   007

'ㅎ' 탈락(ㅎ Omission)

발음규칙 PRONUNCIATION RULES

The final consonant ㅎ is omitted before a syllable that starts with a vowel.

$$좋아요 \Rightarrow [조:아요]$$
$$ㅎ + ㅇ \Rightarrow \emptyset + ㅇ$$

많아요[마:나요/ma:najo]   싫어요[아나요/anajo]

문법GRAMMAR

01 V–(으)ㄹ까요?
의향 묻기

가다 ⇒ 오늘 오후에 명동에 갈까요?

먹다 ⇒ 오늘 저녁에 생선을 먹을까요?

만들다 ⇒ 주말에 같이 김치를 만들까요?

explanation | **Converting to the V–(으)ㄹ까요? form** |

Remove the –다 suffix from the base verb form. When the last syllable of the verb stem does not have a final consonant, ㄹ까요? is used, but when there is one, 을까요 is used instead. One exception to the rule is, when the final consonant is ㄹ까요 is used.

When the last syllable of the stem does NOT have a final consonant:
가다→가다+ㄹ까요→갈까요?

When the last syllable of the stem has a final consonant:
먹다→먹다+을까요→먹을까요?

When the last syllable of the stem has the final consonant ㄹ:
만들다→만들다+ㄹ까요→만들까요?

|**Exercise**| Fill in the blanks.

Base Form	–(으)ㄹ까요?		–(으)ㄹ까요?
가다	갈까요?	만나다	
보다		마시다	

02 V-(으)ㅂ시다
청유

가다 ⇒ 일요일에 민속촌에 갑시다.

읽다 ⇒ 도서관에서 한국어 책을 읽읍시다.

만들다 ⇒ 주말에 같이 김치를 만듭시다.

explanation | **Converting to the V-(으)ㅂ시다 form** |

Remove −다 from the base form first, then attach −ㅂ시다 when the last syllable of the stem does not have a final consonant. When there is one, use −읍시다 instead. When it is ㄹ, remove that ㄹ and attach −ㅂ시다.

When the last syllable of the stem does NOT have a final consonant:
가다→가다+ㅂ시다→갑시다

When the last syllable of the stem has a final consonant:
먹다→먹다+읍시다→먹읍시다

When the last syllable fo the stem has the final consonant ㄹ:
만들다→만들다+ㅂ시다→만듭시다

|**Exercise**|Fill in the blanks.

Base Form	−(으)ㅂ시다		−(으)ㅂ시다
가다	갑시다	만나다	
보다		마시다	

03 A/V-(으)면 A/V
조건, 가정

A conditional clause A/V -(으)면
The subjunctive

방학을 하다 ⇒ 방학을 하면 뭐 해요?

수업이 끝나다 ⇒ 수업이 끝나면 친구를 만나서
영화를 봐요.

빵을 먹다 ⇒ 빵을 먹으면 기분이 좋아요.

explanation | **Converting to the A/V-(으)면 form** |

Remove -다 from the base form of the given adjective/verb, and attach the suffix -면 if the final consonant on the last syllable of the stem is either ㄹ or null. For any other consonant, attach -으면 instead.

When the last syllable of the stem does NOT have a final consonant:
하다→하다+면→하면

When the last syllable of the stem has a final consonant:
먹다→먹다+으면→먹으면

When the last syllable fo the stem has the final consonant ㄹ:
만들다→만들다+면→만들면

|**Exercise**| Fill in the blanks.

Infinitives	A/V-(으)면		A/V-(으)면
방학을 하다	방학을 하면	시간이 있다	
수업이 끝나다		시간이 없다	

회화 연습 CONVERSATION DRILLS

Practice with the examples below.

오늘
영화를 보다

최지영 : 퍼디 씨, 오늘 영화를 볼까요?
퍼디 : 네, 좋아요. 영화를 봅시다.

내일
점심을 먹다

가 : 내일 점심을 먹을까요?
나 : 네, 좋아요. _____.

오늘 저녁
술을 마시다

가 : _____?
나 : _____.

이번 주말
온천에 가다

가 : _____?
나 : _____.

내일
농구를 하다

가 : _____?
나 : _____.

02 **주말에 경복궁에 갑시다.** Let's go to Gyeongbokgung this weekend.

Practice with the examples below.

주말
버스 X
지하철 ○

최지영 : 퍼디 씨, 주말에 경복궁에 갑시다.
　　　　버스를 탈까요? 지하철을 탈까요?
퍼디 : 지하철을 탑시다.

주말
수영 X
골프 ○

가 : 최지영 씨, 주말에 운동을 합시다.
　　＿＿＿＿＿＿＿? ＿＿＿＿＿＿?
나 : 골프를 합시다.

오늘
비빔밥 X
비빔국수 ○

가 : ＿＿＿＿＿＿＿＿＿＿＿.
　　＿＿＿＿＿? ＿＿＿＿?
나 : ＿＿＿＿＿＿＿＿＿＿.

금요일
007 X
타이타닉 ○

가 : ＿＿＿＿＿＿＿＿＿＿＿.
　　＿＿＿＿＿? ＿＿＿＿?
나 : ＿＿＿＿＿＿＿＿＿＿.

주말
스케이트 X
스키 ○

가 : ＿＿＿＿＿＿＿＿＿＿＿.
　　＿＿＿＿＿? ＿＿＿＿?
나 : ＿＿＿＿＿＿＿＿＿＿.

03 방학을 하면 뭐 해요?   What do you do on school holidays?

Practice with the examples below.

방학을 하다
고향에 가다

최지영 : 퍼디 씨, 방학을 하면 뭐 해요?

퍼디 : 저는 방학을 하면 고향에 가요.

수업이 끝나다
친구를 만나다

가 : 마스미 씨, 수업이 끝나면 뭐 해요?

나 : _____.

친구를 만나다
농구를 하다

가 : _____?

나 : _____.

집에 가다
텔레비전을
보다

가 : _____?

나 : _____.

인사동에 가다
전통차를
마시다

가 : _____?

나 : _____.

04 **방학을 하면 고향에 가요?**   Do you go to your hometown during school holidays?

Practice with the examples below.

방학을 하다
고향에 가다 X
유럽에
가다 ○

최지영 : 퍼디 씨, 방학을 하면 고향에 가요?
퍼디 : 아니요, 저는 고향에 안 가요.
　　　　유럽에 가요.

수업이 끝나다
집에 가다 X
도서관에
가다 ○

가 : 수업이 끝나면 집에 가요?
나 : 아니요, _____.
　　_____.

아침에
일어나다
신문을 읽다 X
커피를
마시다 ○

가 : _____?
나 : _____.
　　_____.

시간이 있다
영화를 보다 X
경복궁에
가다 ○

가 : _____?
나 : _____.
　　_____.

수업이 끝나다
숙제하다 X
명동에
가다 ○

가 : _____?
나 : _____.
　　_____.

듣기 연습 LISTENING DRILLS

방학 계획 묻기   Asking about school holidays plans

The DVD will play each dialogue twice.
Listen carefully, and write down the correct answer.

왕샤위 : 스테파니 씨, 방학을 하면 뭐 해요?

스테파니 : 저는 방학을 하면 친구와 같이 스키를 타고 사진을

　　　찍어요. 정답:(①, ⑦) 스키를 타고 사진을 찍어요.

1. (　　　,　　　) _____고 _____.

2. (　　　,　　　) _____고 _____.

3. (　　　,　　　) _____고 _____.

4. (　　　,　　　) _____고 _____.

이준기와 이야기하기TALKING WITH JOON GI LEE

의향 묻고 대답하기 Asking intensions and answering them

Listen to the DVD and talk with Joon Gi Lee.

이준기   마스미 씨, 이번 주말에 경복궁에 갈까요?

마스미   네, 좋아요.

이준기   버스를 탈까요? 지하철을 탈까요?

마스미   지하철을 탑시다.
          이준기 씨, 오늘 점심에
          뭘 먹을까요?

이준기   비빔밥을 먹읍시다.

마스미   네, 좋아요.

가   _____ 씨, 이번 주말에 _____?

나   네, 좋아요.

가   _____? _____?

나   _____을/를 _____.

        _____ 씨, 오늘 _____?

가   _____을/를 _____.

나   네, 좋아요.

조사 PARTICLES

Let's review particles.

Paricles	When to use		Meaning
N은/는	When the last syllable has a final consonant	은	Signifies the subject of the sentence.
	When the last syllable has no final consonant	는	
N이/가	When the last syllable has a final consonant	이	Mainly used in interrogatives and descriptive statements using adjectives and signifies the sentence subject.
	When the last syllable has no final consonant	가	
N을/를	When the last syllable has a final consonant	을	Signifies the object in the sentence.
	When the last syllable has no final consonant	를	
N와/과	When the last syllable has a final consonant	과	Signifies a parallelism of more than two nouns.
	When the last syllable has no final consonant	와	
N하고	When the last syllable has a final consonant	하고	Signifies a parallelism of more than two nouns and is more informal than 와 or 과.
	When the last syllable has no final consonant		
N도	When the last syllable has a final consonant	도	Signifies that the following sentence has the same content as the previous one.
	When the last syllable has no final consonant		

Paricles	When to use		Meaning
N에	When the last syllable has a final consonant	에	1) Place/Destination as in N에 가다 or N에 오다: 'N에' signifies the place that the subject of the verb moves to.
	When the last syllable has no final consonant		2) Restriction as in 'N에 얼마예요?' 'N에' signifies restriction of the quantity noun. 3) Time as in '1시에 만나요.' N에 signifies the time of the action.
N부터	When the last syllable has a final consonant	부터	Indicates the beginning and ending of a time much likefrom N until N in English.
	When the last syllable has no final consonant		
N까지	When the last syllable has a final consonant	까지	N부터 N까지 signifies the time span of from A to B. N부터 N까지 is used for time, and N에서 N까지 is for the place ranged from A to B.
	When the last syllable has no final consonant		
N에서	When the last syllable has a final consonant	에서	1) N에서 V−아/어요 indicates the place where the action signified by the verb takes place.
	When the last syllable has no final consonant		2) N에서 N까지 indicates the range of an area.

Namdaemoon Market,

Korea's Largest Traditional Market

Namdaemoon Market is Korea's largest and most comprehensive traditional marketplace. All sorts of clothes, food, electronics and local produce are laid under colorful awnings. There are over 5,400 shops in here.
One thing to remember is to try "ttokbokki,",
or rice cake bar dipped in spicy sauce.
The fiery taste will tempt you to bite some more.

지금 와인을 마시고 있어요

I am drinking a glass of wine now

Chapter Goals

SITUATION
Present progressive
and simple present
tense
VOCABULARY
Verbs-Present
progressives and
habits
GRAMMAR
V-(으)세요
V-고 있다
다 V

이 준 기	안녕하세요? 다이애나 씨.
다이애나	안녕하세요? 이준기 씨 오랜만이에요.
이 준 기	다이애나 씨, 지금 뭘 마시고 있어요?
다이애나	저는 지금 와인을 마시고 있어요.
이 준 기	다이애나 씨는 요즘 뭐 하세요?
다이애나	저는 요즘 기타를 배우고 있어요.
이 준 기	다이애나 씨, 와인 다 마셨어요?
다이애나	아니요, 아직 마시고 있어요.

Wine has been catching
on in Korea in recent yea-
rs. A wide variety of wines
are imported from Europe
and South America. An
increasing number of cul-
tural centers have been
offering courses on wine,
reflecting the growing
popularity in wine.

오랜만이에요[오랜마니에요/orɛnmaɲiejo]   있어요[이써요/i(t)s'ʌjo]
와인을[와이늘/wainɯl]   마셨어요[마셔써요/maɕʌ(t)s'ʌjo]

어휘와 표현VOCABULARY AND EXPRESSIONS

01 동사 11 진행, 습관   Verb Group 11 In progress, Habits

드시다   to eat (polite)

주무시다   to sleep (polite)

(사진을) 찍다   to take (a picture)

(전화를) 하다   to make (a phone call)

(담배를) 피우다   to smoke

걷다   to walk   묻다   to ask

계시다/있다   to be/exist (polite)   기다리다   to wait

02 기타   Others

아직   yet

오랜만이에요   It's been a long time/Long time no see

와인   wine

기타   guitar

드라마   drama

거문고   geomungo

연음 법칙Liaison (Linking)

발음규칙 PRONUNCIATION RULES

When a syllable ends with a final consonant and is followed by a vowel, then the final phoneme is pronounced as the first phoneme of the following syllable.

$$있어요 \Rightarrow [이써요]$$

오랜만이에요[오랜마니에요/orɛnmaɲiejo]   와인을[와이늘/wainɯl]

마셨어요[마셔써요/maɕʌ(t)s'ʌjo]   했어요[해써요/hɛ(t)s'ʌjo]

문법GRAMMAR

01 V-(으)세요
정중형

Polite form of V아/어요

어머니는 주말에 백화점에 **가세요**.

───────────────────────────

아버지는 지금 텔레비전을 **보세요**.

───────────────────────────

어머니는 아버지에게 운전을 **배우세요**.

───────────────────────────

아버지는 신문을 **읽으세요**.

───────────────────────────

어머니는 김치를 **만드세요**.

---

explanation │ **Converting to the V-(으)세요 form** │

This suffix is used to very politely request an action from another person who is usually senior to the speaker. Remove -다 from the base form and add -세요 when the last syllable of the stem does not have a final consonant, and -으세요 otherwise.

When the last syllable of the stem does NOT have a final consonant:
요리하다→요리하다→요리하+세요→요리하세요

When the last syllable of the stem has a final consonant:
읽다→읽다→읽+으세요→읽으세요

When the last syllable of the stem has the final consonant ㄹ:
만들다→만들다→만드+세요→만드세요

Most verbs follow this pattern, but here are a few examples of irregular verbs.

먹다, 마시다→드시다→드세요
자다→주무시다→주무세요
있다→계시다→계세요

02 V-고 있다

Be V -ing

커피를 마시다 ⇒ 커피를 마시고 있다.

빵을 먹다 ⇒ 빵을 먹고 있다.

태권도를 배우다 ⇒ 태권도를 배우고 있다.

피아노를 치다 ⇒ 피아노를 치고 있다.

explanation | **지금과 요즘 now and these days** |

지금 is attached to verb stems and signifies that the activity is going on at the moment of speaking.

예) ○○○ 씨, 지금 뭐 해요?
    저는 지금 커피를 마시고 있어요.

요즘 is attached to verb stems as well but signifies that the activity has been going on recently. This is similar to the English phrase these days.

예) ○○○ 씨, 요즘 뭐 해요?
    저는 요즘 기타를 배우고 있어요.

explanation | **Converting to the V-고 있다 form** |

Take the -다 suffix from the base form attach -고 있다 in its place instead.

03 다 V

The adverb 다 in 다V means that the subject of the verb has finished doing the activity.

커피를 마시다 ⇒ 커피를 다 마셨어요.

책을 읽다 ⇒ 책을 다 읽었어요.

숙제를 하다 ⇒ 숙제를 다 했어요.

Exercise Fill in the blanks.

Base Form	–(으)세요	Base Form	V–고 있어요
영화를 보다	영화를 보세요	커피를 마시다	커피를 마시고 있어요
편지를 쓰다		음악을 듣다	
숙제하다	숙제하세요	요리하다	
책을 읽다	책을 읽으세요	와인을 마시다	
사진을 찍다		춤을 추다	
☆자다/주무시다	주무세요	기타를 배우다	
☆마시다/드시다	드세요	그림을 그리다	

회화 연습 CONVERSATION DRILLS

01 **어머니도 백화점에 가세요.**　　　My mother also goes to the department store.

Practice with the examples below.

저
어머니
백화점에 가다

다이애나 : 저는 백화점에 가요.
　　　　　 어머니도 백화점에 가세요.

저
아버지
점심을 먹다

가 : 저는 점심을 먹어요.
　　 아버지도 ＿＿＿＿＿＿＿＿＿＿＿.

저
어머니
기타를 배우다

가 : ＿＿＿＿＿＿＿＿＿＿＿＿＿.
　　 ＿＿＿＿＿＿＿＿＿＿＿＿＿.

동생
아버지
방에 있다

가 : ＿＿＿＿＿＿＿＿＿＿＿＿＿.
　　 ＿＿＿＿＿＿＿＿＿＿＿＿＿.

저
책을 읽다
어머니
신문을 읽다

가 : ＿＿＿＿＿＿＿＿＿＿＿＿＿.
　　 ＿＿＿＿＿＿＿＿＿＿＿＿＿.

02 다이애나 씨, 영화를 보세요?   Diana, do you watch movies?

Practice with the examples below.

영화를 보다 X
책을 읽다 ○

이준기 : 다이애나 씨, 영화를 보세요?
다이애나 : 아니요, 저는 영화를 안 봐요.
　　　　　 책을 읽어요.

. . . .

오늘,
삼겹살을
먹다 ○

가 : 오늘 삼겹살을 드세요?
나 : 네, ＿＿＿＿＿ ＿＿＿＿＿을 먹어요.

. . . .

저녁,
텔레비전을
보다 ○

가 : ＿＿＿＿＿＿＿＿＿＿＿＿＿＿?
나 : ＿＿＿＿＿＿＿＿＿＿＿＿＿＿.

. . . .

주말,
설악산에
가다 ○

가 : ＿＿＿＿＿＿＿＿＿＿＿＿＿＿?
나 : ＿＿＿＿＿＿＿＿＿＿＿＿＿＿.

. . . .

등산을 하다 X
수영을 하다 ○

가 : ＿＿＿＿＿＿＿＿＿＿＿＿＿＿?
나 : ＿＿＿＿＿＿＿＿＿＿＿＿＿＿.
　　 ＿＿＿＿＿＿＿＿＿＿＿＿＿＿.

. . . .

03 지금 커피를 마시고 있어요.   I am having some coffee.

Practice with the examples below.

커피를
마시다

이준기 : 다이애나 씨, 지금 뭘 하고 있어요?

다이애나 : 저는 지금 커피를 마시고 있어요.

신문을
읽다

가 : 지금 뭘 하고 있어요?

나 : 저는 지금 _____고 있어요.

버스를
기다리다

가 : _____?

나 : _____.

골프를
치다

가 : _____?

나 : _____.

영화를
보다

가 : _____?

나 : _____.

04 영화를 다 봤어요? Have you finished the movie yet?

Practice with the examples below.

 영화를
보다 X

이준기 : 다이애나 씨, 영화를 다 봤어요?

다이애나 : 아니요, 아직 보고 있어요.

그림을
그리다 X

가 : 그림을 다 그렸어요?

나 : 아니요, 아직 _____.

커피를
마시다 X

가 : _____?

나 : _____.

밥을
먹다 X

가 : _____?

나 : _____.

숙제하다 X

가 : _____?

나 : _____.

05 요즘 기타를 배우고 있어요.   I am learning the guitar these days.

Practice with the examples below.

기타를 배우다

이준기 : 다이애나 씨, 요즘 뭐 해요?
다이애나 : 저는 요즘 기타를 배우고 있어요.

중국어를 배우다

가 : 요즘 뭐 해요?
나 : 저는 요즘 _____ 있어요.

태권도를 배우다

가 : _____?
나 : _____.

피아노를 가르치다

가 : _____?
나 : _____.

영어를 가르치다

가 : _____?
나 : _____.

듣기 연습 LISTENING DRILLS

01 친구들의 행동에 대해 말하기 1　　　Talking about friends' activities1

The DVD will play each dialogue twice.
Listen carefully, and write down the correct answer.

〈보기〉 마스미 씨는 리리 씨하고 같이 이야기하고 있어요.

1. 퍼디 씨는 _____.

2. 이준기 씨는 _____.

3. 왕샤위 씨는 _____.

4. 최지영 씨는 _____.

5. 다이애나 씨하고 벤슨 씨는 _____.

6. 로베르토 씨는 _____.

7. 비비엔 씨는 _____.

02 친구들의 행동에 대해 말하기 2

The DVD will play each dialogue twice.
Listen carefully, and write down the correct answer.

여기는 우리 하숙집이에요. 이 사람들은 모두 제 친구들이에요.

1. 리리 씨는 지금 _____ .

2. 마스미 씨는 지금 _____ .

3. 퍼디 씨는 지금 _____ .

4. 로이 씨는 지금 _____ .

5. 다이애나 씨는 지금 _____ .

6. 비비엔 씨는 지금 _____ .

7. 벤슨 씨는 지금 _____ .

이준기와 이야기하기 TALKING WITH JOON GI LEE

생활 습관 묻기 Asking questions on lifestyle

Listen to the DVD and talk with Joon Gi Lee.

이 준 기	다이애나 씨, 아침에 운동하세요?
다이애나	네, 저는 아침에 운동해요.
이 준 기	다이애나 씨, 담배를 피우세요?
다이애나	아니요, 저는 담배를 안 피워요.
이 준 기	그럼, 요즘 한국 드라마는 보세요?
다이애나	네, 요즘 한국 드라마를 보고 있어요.

▼
그럼 is a shortened form of
그러면. In the spoken Kor-
ean language, 그럼 is pre-
ferred.

가 _____ 씨, _____?

나 네, _____.

가 _____ 씨, _____?

나 아니요, _____.

가 그럼, _____?

나 네, _____.

장소 카드 NOUN CARDS ON PLACE

도서관
library building

학교
school

교회
church

식당
restaurant

명동
Myeongdong

인사동
Insadong

이태원
Itaewon

대학로
Daehangno

영화관
movie theater

은행
bank

병원
hospital

커피숍
coffee shop

롯데월드
Lotte World

백화점
department store

광화문
Gwanghwamun

제주도
Jeju Island

산
mountain

바다
sea

온천
spa

공원
park

남대문시장
Namdaemun Market

대학교
university/
college

세탁소
laundromat

슈퍼마켓
supermarket

신촌
Shinchon

우체국
post office

일본
Japan

민속촌
folk village

지하철
subway

출입국관리소
the Immigration
Bureau

편의점
convenience
store

호주
Australia

경복궁까지 어떻게 가요?
How can I get to Gyeongbokgung?

Chapter Goals

SITUATION
Using public transportation
VOCABULARY
Public transportation
Traffic sign
GRAMMAR
V–(으)세요
V–(지) 마세요
N(으)로 갈아타다

DVD로 들어 보세요

최 지 영	스테파니 씨, 이번 주말에 시간이 있으세요?
스테파니	네, 있어요. 왜요?
최 지 영	그럼, 이번 주말에 같이 경복궁에 갈까요?
스테파니	네, 좋아요.
	그런데 학교에서 경복궁까지 어떻게 가요?
최 지 영	한남역에서 중앙선을 타세요.
	그리고 옥수역에서 3호선으로 갈아타세요.
	그리고 경복궁역에서 내리세요.
스테파니	네, 알겠습니다.

Korea has a very well-developed subway system. Seoul has nine different subway lines that connect most parts of the city, and there are a few more lines that are connected to suburban areas such as Bundang or Incheon. Each subway line has a different color and each station has an id number so that even a foreigner visiting Seoul for the first time could use it conveniently.

갈아타세요[가라타세요/karatʰasejo]   알겠습니다[알겠씀니다/a:lgetsʼɯmɲida]
옥수역에서[옥쑤여게서/oksʼujʌgesʌ]   어떻게[어떠케/ʌtʼʌkʰe]
경복궁역에서[경:보꿍녀게서/kjəːŋbokʼuɲɲʌgesʌ]

DVD로 들어 보세요

어휘와 표현 VOCABULARY AND EXPRESSIONS

01 교통수단 Transportations

비행기 airplane	택시 taxi
기차 train	지하철 subway
배 ship/boat	고속버스 express bus
자전거 bicycle	오토바이 motorcycle
시내버스 bus	

(1, 2, 3, 4, 5, 6, 7, 8, 9)호선   line no.(1, 2, 3, 4, 5, 6, 7, 8, 9)

KTX   Korea Train Express

02 장소 Places

서울역 Seoul Station	복도 hallway
사당역 Sadang Station	잔디밭 lawn
바물관 museum	사무실 office

03 교통 표지 Traffic signs

신호등 traffic light	횡단보도 crosswalk
버스 정류장 bus station	

| 04 | **동사 12** 교통수단 | Verb Group12 Transportations |

타다   to get on (a vehicle)   들어가다   to enter

갈아타다   to transit   들어오다   to come in

내리다   to get off (from vehicle)

| 05 | **기타** | Others |

떠들나   to talk loudly   늦다   late

세탁하다   to wash clothes   뛰다   to jump/run

어떻게 가요?   How can I get to?   만지다   to touch

격음화Aspiration
(Pronouncing consonants with strong burst of air)

Before or after ㅎ, consonants ㄱ, ㄷ, ㅂ and ㅈ combine with the ㅎ and turn to the aspiration consonants ㅋ, ㅌ, ㅍ and ㅊ.

$$어떻게 \Rightarrow [어떠케]$$
$$ㅎ + ㄱ \Rightarrow ㅋ$$

하얗고[하:야코/ha:jakʰo]   파랗게[파:라케/pʰa:rakʰe]

문법 GRAMMAR

01 V-(으)세요   V, please

최지영 씨, 일어나세요.

스테파니 씨, 두 번 읽으세요.

이준기 씨, 케이크를 만드세요.

*먹다, 마시다⇒드시다   *자다⇒주무시다

explanation | The imperative form |

This has the same conversion rule as -(으)세요 that is covered in Chapter 14.
This is a suffix to signify an imperative in a polite manner.

When the last syllable of the stem does NOT have a final consonant:
가다→가다+세요→가세요

When the last syllable of the stem has a final consonant:
읽다→읽다+으세요→읽으세요

When the last syllable fo the stem has the final consonant ㄹ:
만들다→만들다+세요→만드세요

| Exercise | Fill in the blanks.

Base Form	-(으)세요		-(으)세요
가다	가세요	영화를 보다	
오다		타다	

02 V-지 마세요 Don't V, please

Simply attach the suffix −지 마세요. to the stem. This form is used to ask someone not to do something in a polite manner.

교실에서 담배를 피우지 마세요.

이 의자에 앉지 마세요.

학생에게 술을 팔지 마세요.

explanation | **The negative imperative form** |

Polite prohibition: The suffix −지 마세요 is attached to the stem regardless of whether there is a final consonant on the last syllable of the stem, or not and it signifies a polite prohibition.

When the last syllable of the stem does NOT have a final consonant:
보다→보다+지 마세요→보지 마세요

When the last syllable of the stem has a final consonant:
읽다→읽다+지 마세요→읽지 마세요

|**Exercise**| Fill in the blanks.

Base Form	−지 마세요		−지 마세요
가다	가지 마세요	김치를 먹다	
담배를 피우다		기다리다	
☆자다/주무시다			

03 N(으)로 갈아타다

When the last syllable of a noun does not have a final consonant or has the consonant ㄹ, then the suffix 로 is attached to the stem, But if it has a final consonant, then －으로 is attached. For example, you could say 3호선으로, 버스로 and 지하철로.

3호선으로 갈아타세요.

402번 버스로 갈아타세요.

5호선 지하철로 갈아타세요.

시청에서 1호선으로 갈아타세요.

|Exercise| Fill in the blanks.

Base Form	N(으)로 갈아타다
지하철 3호선	지하철 3호선으로 갈아타다
6000번 버스	
시청역에서 버스로	
신촌에서 버스로	
강남역에서 지하철로	

회화 연습 CONVERSATION DRILLS

| **01** | **경복궁에 어떻게 가요?** | How can I get to Gyeongbokgung? |

Practice with the examples below.

경복궁
학교 앞
버스 정류장
402번 버스
타다

가 : 실례지만, 경복궁에 어떻게 가요?

나 : 학교 앞 버스 정류장에서 402번
버스를 타세요.

가 : 네, 알겠습니다. 감사합니다.

신촌
시청역
2호선
갈아타다

가 : 실례지만, 신촌에 어떻게 가요?

나 : _____.

가 : 네, 알겠습니다. 감사합니다.

인사동
3호선 안국역
내리다

가 : _____?

나 : _____.

가 : _____.

인천공항
한국대학교 앞
공항버스
타다

가 : _____?

나 : _____.

가 : _____.

이태원
3호선 약수역
6호선
갈아타다

가 : _____?

나 : _____.

가 : _____.

02 시청역에서 1호선을 타세요.   Take subway line no. 1 at City Hall Station.

Practice with the examples below.

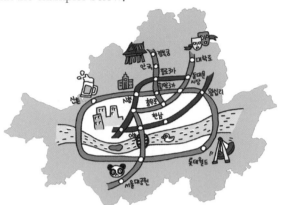

스테파니 : 실례합니다. 시청역에서
경복궁까지 어떻게 가요?

최지영 : 시청역에서 1호선을 타세요.
그리고 종로3가역에서 3호선으로
갈아타세요.
그리고 경복궁역에서 내리세요.

스테파니 : 고맙습니다.

경복궁 시청 1호선
종로 3가 3호선
경복궁

롯데월드 경복궁 3호선
을지로 3가 2호선
롯데월드

가 : _____?
나 : _____.
가 : _____.

안 국 서울대공원 4호선
충무로 3호선
안국

가 : _____?
나 : _____.
가 : _____.

03 교실에서 담배를 피우지 마세요.　　　　　Don't smoke in the classroom.

Practice with the examples below.

교실
담배를 피우다

가 : 어! 로이 씨, 교실에서 담배를
　　피우지 마세요.
나 : 아이고, 죄송합니다.

교실
영어를 하다

가 : 어! _____.
나 : 아이고, 죄송합니다.

영화관
전화를 하다

가 : _____.
나 : _____.

박물관
사진을 찍다

가 : _____.
나 : _____.

공원
잔디밭에
들어가다

가 : _____.
나 : _____.

듣기 연습 LISTENING DRILLS

01 금지 표현하기
Using the negative imperatives

The DVD will play each dialogue twice.
Listen carefully, and write down the correct answer.

최지영 : 앗! 로이 씨, 교실에서 담배를 피우지 마세요.

로이 : 아이고, 죄송합니다.

정답 : (②) 교실에서 담배를 피우지 마세요.

1. (   ) _____지 마세요.

2. (   ) _____지 마세요.

3. (   ) _____지 마세요.

4. (   ) _____지 마세요.

5. (   ) _____지 마세요.

6. (   ) _____시 마세요.

이준기와 이야기하기 TALKING WITH JOON GI LEE

스테파니 씨 하숙집의 규칙 The rules at Stephanie's boarding house

Pay close attention to the rules at the boarding house where Stephanie stays, and make a list of rules that you could apply at your place.

1. 아침 7시에 일어나세요.

2. 아침에 일어나면 청소하세요.

3. 밤에는 큰 소리로 떠들지 마세요.

4. 방에서 술을 마시지 마세요.

5. 담배는 밖에서 피우세요.

6. 식사 시간에 늦지 마세요.

7. 밤에 세탁하지 마세요.

8. 밤 12시까지 들어오세요.

|**우리 집의 규칙**| Rules at the boarding house

1. _____ .

2. _____ .

3. _____ .

4. _____ .

5. _____ .

6. _____ .

7. _____ .

8. _____ .

금지와 명령의 표현

IMPERATIVE AND PROHIBITIVE EXPRESSIONS

실내에서 담배를
피우지 마세요

No smoking indoors.

잔디밭에 들어가지 마세요

Keep off the grass.

작품에 손대지 마세요

Don't touch the art work, please.

이곳에 앉지 마세요

Don't sit here, please.

이곳에 주차하지 마세요

Don't park here, please.

본체 위에 물건을
올려놓지 마세요

Don't put object on the computer.

휴대폰 전원을 꺼 주세요

Turn off your cell phone, please.

휴지는 휴지통에 버려 주세요

Please throw trash in the garbage can.

한 줄로 서 주세요

Form a single line, please.

노약자에게 자리를
양보해 주세요

Please yield this seat for senior citizens.

H E L L O ~
K O R E A N

부록

본 문 번 역
듣 기 지 문
이 순 기 와 이 야 기 하 기 번 역
문 법 회 화 연 습 답 안
색 인

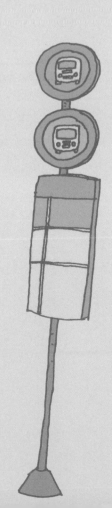

본문 번역

chapter 1 Hello!

Ji Young: Hello.
Roy: Hello.
Ji Young: My name is Ji Young Choi.
Roy: My name is Roy.
Ji young: I am Korean. Roy, what country are you from?
Roy: I am a Cantonese.
Ji Young: Nice to meet you.
Roy: Nice to meet you.

chapter 2 What is this?

Lili: What is this?
Joon Gi: It is a transportation card.
Lili: Is that tteokbokki?
Joon Gi: Yes, this is tteokbokki.
Lili: Is that gimbap?
Joon Gi: No, it is not gimbap. That is hotteok.

chapter 3 How much does this packet of instant noodles cost?

Clerk: Welcome.
Stephanie: How much does this packet of this noodles cost?
Clerk: It is 500 won.
Stephanie: I would like two packets of noodles and three bottles of beer, please.
Clerk: It is 5,500 won altogether.
        Thank you. Goodbye.
Stephanie: Good bye.

chapter 4 What is the date today?

Joon Gi: Vivien, what is the date today?
Vivien: Today is September 28th.
Joon Gi: What day of the week is it today?
Vivien: It is Thursday.
Joon Gi: Vivien, when is your birthday?
Vivien: My birthday is October 9th.

chapter 5 What time is it now?

Benson: Excuse me, but what time is it now?
Ji Young: It is 3:30 P.M.
Benson: When is the Korean class?
Ji Young: The Korean class is from 9 A.M. to 1 P.M.
Benson: Thank you.

chapter 6 My home is in Shinchon

Ji Young: Roy, where is your home?
Roy: It is in Shinchon.
Ji Young: What floor is your apartment on?
Roy: It is on the 4th floor.
Ji Young: Does your building have a parking lot?
Roy: Yes, there is one.
Ji Young: Does it have an elevator?
Roy: No, it doesn't.

chapter 7 I am watching a movie today

Diana: Joon Gi, what are you doing today?
Joon Gi: I am watching a movie today.
   What are you doing today, Diana?
Diana: I am studying Korean.
Joon Gi: Are you studying Korean tomorrow, too?
Diana: No, I don't study Korean on weekends.
   But I hang out with my friends.

chapter 8 I am going to Myeongdong this weekend

Ji Young: Ferdy, where are you going this weekend?
Ferdy: I am going to Myeongdong this weekend.
Ji Young: What are you going to do in Myeongdong?
Ferdy: I am going to see a movie.
   What are you doing this weekend, Ji Young?
Ji Young: I am going to the library.
Ferdy: What are you going to do at the library?
Ji Young: I am going to read a book and surf the Internet.

chapter 9 How is the weather today?

Wangshaowei: Stephanie, how is the weather today?
Stephanie: The weather is nice today.
Wangshaowei: What is the weather like in Australia these days?
Stephanie: It is hot and rainy these days.
   What is the weather like in China these days?

Wangshaowei: The weather is nice but cold these days.

chapter 10 What are you going to do today?

Joon Gi: Lili, where are you going?
Lili: I am going to the library.
   Are you also going to the library, Joon Gi?
Joon Gi: No, I am not. I am going to Myeongdong.
Lili: Benson, are you going to Myeongdong with Joon Gi?
Benson: Yes, I am also going to Myeongdong.
Lili: What are you going to do in Myeongdong?
Benson: We are going to do some shopping and eat some food.

chapter 11 I am going shopping at a department store

Ji Young: Benson, what do you usually do on weekends?
Benson: On weekends I usually have some coffee in the morning.
   Then, I go shopping at a department store.
   In the afternoon, I watch a movie with a friend.
   In the evening, I cook dinner and eat it with a friend.

chapter 12 I saw a movie yesterday

Joon Gi: Masumi, what did you do yesterday?

Masumi: I drank coffee and saw a movie in Myeongdong.

Joon Gi: What movie did you see?

Masumi: I saw *The King and the Clown*. What did you do yesterday, Joon Gi?

Joon Gi: I went to Dongdaemun Market with a friend.

Masumi: What did you do at Dondaemun Market?

Joon Gi: I bought some clothes and had bibimguksu.

chapter 13 How about a drink tonight?

Ji Young: Ferdy, how about a drink tonight if you are free?

Ferdy: Sounds good. Where shall we go?

Ji Young: Let's go to Gwanghwamun HOF.

Ferdy: Ok, then. Where shall we meet?

Ji Young: Let's meet in front of Hankuk University at 6 P.M.

Ferdy: Sure. That sounds good.

chapter 14 I am drinking a glass of wine now

Joon Gi: Hello, Diana.

Diana: Hello, Joon Gi. Long time no see.

Joon Gi: Diana, what are you drinking now?

Diana: I am drinking a glass of wine.

Joon Gi: Diana, what are you doing these days?

Diana: I am learning to play the guitar.

Joon Gi: Diana, is your glass empty?

Diana: No, it is still filled.

chapter 15 How can I get to Gyeongbokgung?

Ji Young: Stephanie, are you free this weekend?

Stephanie: Yes, I am. Why are you asking?

Ji Young: Would you like go to Gyeongbokgung with me this weekend?

Stephanie: Okay, that sounds good. By the way, how can I get to Gyeongbokgung from school?

Ju Young: Take the Jungang line at Hannam subway station. Then, take line Number 3 at Oksu station and get off at Gyeongbokgung station.

Stephanie: Okay. I get it.

chapter 4

01 날짜 받아쓰기 1

1. 가 : 오늘은 며칠이에요?
   나 : 오늘은 3월 10일이에요.
2. 가 : 오늘은 며칠이에요?
   나 : 오늘은 6월 6일이에요.
3. 가 : 오늘은 며칠이에요.
   나 : 오늘은 11월 30일이에요.

02 날짜 받아쓰기 2

1. 가 : 로이 씨, 생일이 언제예요?
   나 : 제 생일은 10월 10일이에요.
2. 가 : 비비엔 씨, 시험이 언제예요?
   나 : 시험은 9월 18일이에요.
3. 가 : 인터뷰가 언제예요?
   나 : 인터뷰는 6월 5일이에요.

03 요일 받아쓰기

1. 가 : 내일은 무슨 요일이에요?
   니 : 내일은 화요일이에요.
2. 가 : 내일은 누슨 요일이에요?
   나 : 내일은 목요일이에요.
3. 가 : 내일은 무슨 요일이에요?
   나 : 내일은 금요일이에요.

chapter 5

01 시간 묻고 답하기

1. 가 : 실례지만, 지금 몇 시예요?
   나 : 지금 두 시 반이에요.(2 : 30)
   가 : 감사합니다.
2. 가 : 실례지만, 지금 몇 시예요?
   나 : 지금 다섯 시 이십오 분이에요.(5 : 25)
   가 : 감사합니다.
3. 가 : 실례지만, 지금 몇 시예요?
   나 : 지금 여덟 시 오 분 전이에요.(7 : 55)
   가 : 감사합니다.
4. 가 : 실례지만, 지금 몇 시예요?
   나 : 지금 열 시 사십 분이에요.(10 : 40)
   가 : 감사합니다.

02 영업 시간 묻고 답하기

1. 가 : 실례지만, 은행은 몇 시부터 몇 시까지예요?
   나 : 은행은 9시부터 4시까지예요.
   가 : 고맙습니다.
2. 가 : 실례지만, 백화점은 몇 시부더 몇 시까지예요?
   나 : 백화점은 10시 반부터 7시 30분까지예요.
   가 : 고맙습니다.
3. 가 : 실례지만, 도서관은 몇 시부터 몇 시까지예요?
   나 : 도서관은 새벽 5시부터 밤 12시까지예요.
   가 : 고맙습니다.
4. 가 : 실례지만, 편의점은 몇 시부터 몇 시까지예요?
   나 : 편의점은 24시간이에요.
   가 : 고맙습니다.

chapter 6

01 장소 찾기

1. 가 : 실례합니다, 은행이 어디에 있어요?
   나 : 은행은 병원하고 백화점 사이에 있어요.
   가 : 고맙습니다.
2. 가 : 실례합니다, 과일 가게가 어디에 있어요?
   나 : 과일 가게는 공원 앞에 있어요.
   가 : 고맙습니다.
3. 가 : 실례합니다, 식당이 어디에 있어요?
   나 : 식당은 슈퍼마켓 옆에 있어요.
   가 : 고맙습니다.
4. 가 : 실례합니다, 슈퍼마켓이 어디에 있어요?

나 : 슈퍼마켓은 과일 가게하고 식당 사이에 있어요.
가 : 고맙습니다.
5. 가 : 실례합니다. 병원이 어디에 있어요?
　　나 : 병원은 은행 옆에 있어요.
　　가 : 고맙습니다.
6. 가 : 실례합니다, 주유소가 어디에 있어요?
　　나 : 주유소는 영화관 옆에 있어요.
　　가 : 고맙습니다.

chapter 8

01 주말 활동 묻기

1. (③, ⑥)
가 : 로이 씨, 주말에 무엇을 합니까?
나 : 저는 주말에 쇼핑을 하고 영화를 봅니다.
2. (①, ⑧)
가 : 퍼디 씨, 주말에 무엇을 합니까?
나 : 저는 주말에 요리하고 청소합니다.
3. (⑤, ⑦)
가 : 디이애나 씨, 주말에 무엇을 합니까?
나 : 저는 주말에 인터넷을 하고 노래를 합니다.
4. (④, ⑥)
가 : 로베르토 씨, 주말에 무엇을 합니까?
나 : 저는 주말에 커피를 마시고 영화를 봅니다.

chapter 10

01 주말 활동 묻기

1. (⑧, ⑤)
가 : 비비엔 씨, 주말에 뭐 해요?
나 : 종로에서 영화를 보고 맥주를 마셔요.
2. (②, ③)
가 : 스테파니 씨, 주말에 뭐 해요?
니 : 롯데월드에서 바이킹을 타고 롤러코스터를 타요.

3. (④, ⑨)
가 : 퍼디 씨, 주말에 뭐 해요?
나 : 대학로에서 연극을 보고 밥을 먹어요.
4. (⑦, ⑥)
가 : 다이애나 씨, 주말에 뭐 해요?
나 : 집에서 그림을 그리고 요리를 해요.

chapter 11

01 하루 일과 묻기

1. (①, ⑧)
가 : 최지영 씨, 아침에 일어나서 뭐 해요?
나 : 저는 아침에 일어나서 운동하고 신문을 읽어요.
2. (⑤, ⑥)
가 : 리리 씨, 저녁에 집에 가서 뭐 해요?
나 : 저는 집에 가서 요리하고 커피를 마셔요.
3. (③, ④)
가 : 로베르토 씨, 학교에 가서 뭐 해요?
나 : 저는 학교에 가서 그림을 그리고 인터넷을 해요.
4. (②, ⑥)
가 : 마스미 씨, 보통 친구를 만나서 뭐 해요?
나 : 저는 친구를 만나서 쇼핑하고 커피를 마셔요.

chapter 12

01 지난 일 묻기

1. (⑥, ⑨)
가 : 벤슨 씨, 지난 주말에 무엇을 했어요?
나 : 저는 지난 주말에 친구하고 같이 맥주를 마시고
　　노래했어요.
2. (②, ⑦)
가 : 다이애나 씨, 지난 주말에 무엇을 했어요?
나 : 저는 지난 주말에 등산하고 친구 집에 갔어요.
3. (①, ⑥)

가 : 로이 씨, 지난 주말에 무엇을 했어요?
나 : 저는 지난 주말에 골프를 치고 맥주를 마셨어요.
4. (⑧, ⑤)
가 : 퍼디 씨, 지난 주말에 무엇을 했어요?
나 : 저는 지난 주말에 태권도를 하고 잤어요.

chapter 13

01 방학 계획 묻기

1. (⑤, ⑧)
가 : 리리 씨, 방학을 하면 뭐 해요?
나 : 저는 방학을 하면 태권도를 하고 피아노를 쳐요.
2. (②, ③)
가 : 퍼디 씨, 방학을 하면 뭐 해요?
나 : 저는 방학을 하면 등산을 하고 골프를 쳐요.
3. (④, ⑨)
가 : 로베르토 씨, 방학을 하면 뭐 해요?
나 : 저는 방학을 하면 친구를 만나고 여행을 해요.
4. (⑥, ⑦)
가 : 마스미 씨, 방학을 하면 뭐 해요?
나 : 저는 방학을 하면 유럽에 가고 사진을 찍어요.

chapter 14

01 친구들의 행동에 대해 말하기 1

1. 퍼디 씨는 맥주를 마시고 있어요.
2. 이준기 씨는 스테파니 씨의 사진을 찍고 있어요.
3. 왕샤위 씨는 책을 읽고 있어요.
4. 최지영 씨는 잠을 자고 있어요.
5. 다이애나 씨하고 벤슨 씨는 아이스크림을
   먹고 있어요.
6. 로베르토 씨는 콜라를 마시고 있어요.
7. 비비엔 씨는 기타를 치고 있어요.

02 친구들의 행동에 대해 말하기 2

1. 리리 씨는 지금 사과를 먹고 있어요.
2. 마스미 씨는 지금 일본 카레를 만들고 있어요.
3. 퍼디 씨는 지금 텔레비전을 보고 있어요.
4. 로이 씨는 지금 음악을 듣고 있어요.
5. 다이애나 씨는 지금 책을 읽고 있어요.
6. 비비엔 씨는 지금 커피를 마시고 있어요.
7. 벤슨 씨는 지금 잠을 자고 있어요.

chapter 15

01 금지 표현하기

1. (③)
가 : 어! 스테파니 씨, 여기서 전화를 하지 마세요
나 : 아이고, 죄송합니다
2. (⑦)
가 : 어! 리리 씨, 밤에 피아노를 치지 마세요.
나 : 아이고, 죄송합니다.
3. (⑤)
가 : 앗! 퍼디 씨, 그림을 만지지 마세요.
나 : 아이고, 죄송합니다.
4. (⑧)
가 : 앗! 왕샤위 씨, 수업 시간에 자지 마세요.
나 : 아이고, 죄송합니다.
5. (④)
가 : 앗! 로베르토 씨, 맥주를 마시지 마세요.
나 : 아이고, 죄송합니다.
7. (⑥)
가 : 앗! 벤슨 씨, 복도에서 뛰지 마세요.
나 : 아이고, 죄송합니다.

이준기와 이야기하기 번역

chapter 1 Introducing yourself

Joon Gi Lee
Hello.
My name is Joon Gi Lee.
I am a Korean.
I am a movie actor.
My hobby is taekwondo.
Nice to meet you.

Vivien
Hello.
My name is Vivien.
I am a German.
I am a student.
My hobby is watching movies.
Nice to meet you.

chapter 2 Asking the names of objects

Joon Gi: Is this a watch?
Stephanie: Yes, it is a watch.
Joon Gi: What is that?
Stephanie: This is a computer.
Joon Gi: Is that a telephone card?
Stephanie: No, that is not a telephone card.
It is a transportation card.

chapter 3 Shopping

Clerk: Welcome. How may I help you?
Joon Gi: Ma'am, what is the price of this apple?
Clerk: It is 500 won for one.
Joon Gi: What is the price of this bunch of banana?
Clerk: That banana is 2,000 won per bunch.

Joon Gi: I would like to have two bunches of bananas.
Clerk: Here you are. Your total is 5,000 won.
Joon Gi: Good bye.
Clerk: Thank you. Good bye.

chapter 4 Asking date, day of the week and specific days (birthdays)

Joon Gi: What is the date today?
Vivien: Today is June 20th.
Joon Gi: Is today Monday?
Vivien: Yes, today is Monday.
Joon Gi: Well then, when is your birthday?
Vivien: My birthday is 9th October.
Joon Gi: Really? October 9th is Hangeul Day.
Vivien: Oh, I see.

chapter 5 Asking and answering business hours

Lili: Excuse me, but what time is it now?
Joon Gi: It is 2:45.
Lili: What is the business hour of bank?
Joon Gi: The bank is open from 9:00 until 4:00.
Lili: What is the business hour of Dongdaemoon market?
Joon Gi: Dongdaemoon market is open from 5 P.M. until 5A.M.
Lili: Thank you.

chapter 6 Asking question on world's famous attractionsfamous

Joon Gi: Stephanie, where is the Opera House?
Stephanie: The Opera House is in Sydney.
Joon Gi: Where are the pyramids?

Stephanie: The pyramids are in Egypt.
Joon Gi: Is the Eiffel Tower in Germany?
Stephanie: No, the Eiffel Tower is in France.
Joon Gi: Thank you.

chapter 7 Asking one's schedule and answering it

Joon Gi: Diana, what are you doing now?
Diana: I am reading a book.
Joon Gi: Diana, what are you doing tomorrow?
Diana: I am watching a movie tomorrow.
Joon Gi: So, what are you doing on this weekend?
Diana: I am hanging out with my friends on this weekend.

Monday   Studying Chinese
Tuesday   Studying Chinese
Wednesday   Working on a movie
Thursday   Reading books
Friday   Studying Chinese
Saturday/Sunday   Meeting friends

I study Chinese on Mondays and Tuesdays.
I also study Chinese on Fridays.
I don't study Chinese on Wednesdays. I shoot a movie.
I read books on Thursdays.
And I meet friends on weekends.

chapter 8 Asking question on one's weekend plan and answering it

Joon Gi: Ji Young, where are you going this weekend?
Ji Young: I am going to Gwanghwamoon this weekend.
Joon Gi: What are you going to do in Gwanghwamoon?
Ji Young: I am going to go to an exhibition and have some coffee. Joon Gi, where are you going this weekend?

Joon Gi: I am going to Shinchon this weekend.
Ji Young: What are you going to do in Shinchon?
Joon Gi: I am going to buy a bag and eat out.

chapter 9 Asking the weather and asking one's impression of Korea

Joon Gi: Wangshaowei, what country are you from?
Wangshaowei: I am from China.
Joon Gi: What is the weather like in China these days?
Wangshaowei: It is nice and cool.
            What is the weather like in Korea these days?
Joon Gi: It is warm and nice.
            How is your Korean study going and how do you like your Korean teacher?
Wangshaowei: Studying Korean is difficult but interesting, and my Korean teacher is fun and kind.

chapter 10 Asking your friend's daily routine

Joon Gi: Lili, what are you doing today?
Lili: I am studying Korean today.
Joon Gi: Where do you usually study Korean?
Lili: I study Korean in a library building.
    Joon Gi, what are you doing today?
Joon Gi: I am going to Yeouido.
Lili: What are you going to shoot in Yeouido?
Joon Gi: There is a shooting at a TV station.

chapter 11 Asking question on your everyday schedule

Benson: Joon Gi, what do you usually do when you get up?

Joon Gi: In the morning, I work out in the park. Afterwards, I take a shower and make breakfast for myself.

Benson: What do you usually do on the weekend?

Joon Gi: I study Chinese with my Chinese friend. Afterwards, I come back home and go over my weekly schedule. Benson, what do you usually do on weekend?

Benson: I usually go see a movie and meet my friends.

chapter 12 Talking about what you did during the weekend/writing a diary

Joon Gi: Vivien, what did you do last weekend?

Vivien: I went shopping with my friend.

Joon Gi: Where did you go shopping?

Vivien: I went to Myoungdong.   Joon Gi, what did you do last weekend?

Joon Gi: I did some exercise last weekend.

Vivien: What kind of exercise did you do?

Joon Gi: I practiced taekwondo.

Vivien: Where did you practice taekwondo?

Joon Gi: I did it at a taekwondo school in town.

May 5th, 2010 Sunny
Yesterday, the weather was very nice.
My teacher and friends came to visit my house.

Vivien came with her boyfriend.
We had some Spanish, Chinese food and some Japanese tea.
They were all delicious.
Vivien and Roberto sang songs.
Roy sang songs from Hong Kong.
It was really fun.

chapter 13 Asking intentions and answering them

Joon Gi: Masumi, do you want to go to Gyeongbokgung this weekend?

Masumi: Sure, that would be great.

Joon Gi: Shall we take the bus or the subway?

Masumi: Let's take the subway. Joon Gi, what kind of food would you like to have for lunch?

Joon Gi: Let's have bibimbap.

Masumi: Okay, that sounds good.

chapter 14 Asking question on lifestyle

Joon Gi: Diana, do you exercise in the morning?

Diana: Yes, I do.

Joon Gi: Diana, do you smoke?

Diana: No, I don't smoke.

Joon Gi: Are you watching Korean dramas these days?

Diana: Yes, I am watching Korean dramas these days.

chapter 15 The rules at Stephanie's boarding house

1. Get up at 7 A.M.
2. Clean your room in the morning.
3. Don't talk loudly at night.
4. Don't drink alcohol in your room.
5. Don't smoke in your room.
6. Don't be late for meals.
7. Don't use the washing machine at night.
8. Get home before midnight.

문법·회화 연습 답안

chapter 1 회화 연습

P. 54
나 : 로베르토
가 : 이름이 무엇입니까?
나 : 제 이름은 리리입니다.
가 : 이름이 무엇입니까?
나 : 제 이름은 퍼디입니다.
가 : 이름이 무엇입니까?
나 : 제 이름은 마스미입니다.

P. 55
나 : 홍콩
가 : 어느 나라 사람입니까?
나 : 저는 중국 사람입니다.
가 : 어느 나라 사람입니까?
나 : 저는 일본 사람입니다.
가 : 어느 나라 사람입니까?
나 : 저는 필리핀 사람입니다

P. 56
나 : 의사
가 : 왕사위 씨 직업이 무엇입니까?
나 : 제 직업은 경찰관입니다.
가 : 마스미 씨 직업이 무엇입니까?
나 : 제 직업은 요리사입니다.
가 : 퍼디 씨 직업이 무엇입니까?
나 : 제 직업은 학생입니다.

P. 57
나 : 요리
가 : 취미가 무엇입니까?
나 : 제 취미는 축구입니다.
가 : 취미가 무엇입니까?
나 : 제 취미는 독서입니다.
가 : 취미가 무엇입니까?
나 : 제 취미는 태권도입니다.

chapter 2 문법·회화 연습

P. 67
시계입니까?/시계가 아닙니다
떡볶이가 아닙니다
김밥입니까?/김밥이 아닙니다
휴대폰입니다/휴대폰이 아닙니다

P. 68
나 : 지갑
가 : 이것은 무엇입니끼?
나 : 그것은 안경입니다.
가 : 이것은 무엇입니까?
나 : 그것은 구두입니다.
가 : 이것은 무엇입니까?
나 : 그것은 전화카드입니다.

P 69
나 . 비빔밥
가 : 이것은 치약입니까?
나 : 네, 그것은 치약입니다.
가 : 이것우 비누입니까?
나 : 네, 그것은 비누입니나.
가 : 이것은 샴푸입니까?
나 : 네, 그것은 샴푸입니다.

P. 70
나 : 비빔밥이/삼계탕
가 : 이것은 불고기입니까?
나 : 아니요, 불고기가 아닙니다.
　　 그것은 자장면입니다.
가 : 이것은 비누입니까?
나 : 아니요, 비누가 아닙니다.
　　 그것은 수건입니다.
가 : 이것은 숟가락입니까?
나 : 아니요, 숟가락이 아닙니다.
　　 그것은 젓가락입니다.

chapter 3 문법·회화 연습

P. 80
커피하고 콜라
햄하고 통조림
바나나하고 수박
건전지하고 휴대폰
밥하고 계란

P. 81
포도예요
바나나예요/바나나가 아니에요
휴대폰이에요
오백 원이 아니에요

P. 84
가 : 이것은 건전지예요?
나 : 네, 그것은 건전지예요.
가 : 그것은 배예요?
나 : 아니요, 그것은 배가 아니에요. 사과예요.
가 : 저것은 과자예요?
나 : 아니요, 그것은 과자가 아니에요.
　　그것은 빵이에요.

P. 85
나 : 사이다 세 병/맥주 두 병
가 : 뭘 드릴까요?
나 : 돼지고기 일 킬로그램하고, 닭고기 한 마리 주세요.
가 : 뭘 드릴까요?
나 : 계란 열 개하고, 캔 커피 다섯 개하고,
　　화장지 여섯 개 주세요.
가 : 뭘 드릴까요?
나 : 형광등 한 개하고, 휴지 일곱 개하고,
　　바나나 한 송이주세요.

P. 86
가 : 바나나는/한 송이
나 : 바나나는/한 송이/이천 원
가 : 이 콜라는 한 병에 얼마예요?

나 : 그 콜라는 한 병에 육백 원이에요.
가 : 그 소고기는 일 킬로그램에 얼마예요?
나 : 그 소고기는 일 킬로그램에 만 이천 원이에요.
가 : 그 생선은 한 마리에 얼마예요?
나 : 그 생선은 한 마리에 삼천오백 원이에요.

chapter 4 문법·회화 연습

P. 96
유월 육일이에요
칠월 칠일이에요
팔월 십오일이에요
구월 삼십일이에요
시월 오일이에요

P. 97
나 : 2월 18일
가 : 오늘은 며칠이에요?
나 : 오늘은 10월 9일이에요.
가 : 내일은 며칠이에요?
나 : 내일은 4월 10일이에요.
가 : 모레는 며칠이에요?
나 : 모레는 11월 11일이에요.

P. 98
나 : 10월 20일
가 : 수료식이 언제예요?
나 : 수료식은 12월 28일이에요.
가 : 방학이 언제예요?
나 : 방학은 7월 23일이에요.
가 : 오리엔테이션은 언제예요?
나 : 오리엔테이션은 2월 27일이에요.

P. 99
나 : 화요일
가 : 모레는 무슨 요일이에요?
나 : 모레는 수요일이에요.
가 : 7월 3일은 무슨 요일이에요?

나 : 7월 3일은 일요일이에요.
가 : 오늘은 무슨 요일이에요?
나 : 오늘은 토요일이에요.

chapter 5 회화 연습

P. 112
나 : 아홉 시
가 : 실례지만, 지금 몇 시예요?
나 : 지금 열두 시 반이에요.(열두 시 삼십 분이에요.)
가 : 고맙습니다.
나 : 실례지만, 지금 몇 시예요?
가 : 지금 네 시 십오 분이에요.
나 : 고맙습니다.
가 : 실례지만, 지금 몇 시예요?
나 : 지금 여덟 시 오십 분이에요.
　　(아홉 시 십 분 전이에요.)
가 : 고맙습니다.

P. 113
가 : 우체국은
나 : 우체국은/9시부터 6시까지
가 : 실례지만 은행은 몇 시부터 몇 시까지예요?
나 : 은행은 9시부터 4시까지예요.
가 : 고맙습니다.
가 : 출입국관리소는 몇 시부터 몇 시까지예요?
나 : 출입국관리소는 9시부터 5시까지예요.
가 : 고맙습니다.
가 : 실례지만 병원은 몇 시부터 몇 시까지예요?
나 : 병원은 24시간이에요.
가 : 고맙습니다.

chapter 6 문법·회화 연습

P. 121
오른쪽/아래(밑)

(앞)(뒤)(밖)
(사이)

P. 122
가 : 화장실이
나 : 화장실은/매점 앞
가 : 실례합니다. 계단이 어디에 있어요?
나 : 계단은 엘리베이터 옆(오른쪽)에 있어요.
가 : 감사합니다.
가 : 실례합니다. 휴지통이 어디에 있어요?
나 : 휴지통은 책상 옆(오른쪽)에 있어요.
가 : 감사합니다.
가 : 실례합니다. 구두가 어디에 있어요?
나 : 구두는 가방 앞에 있어요.
가 : 감사합니다.

P. 123
가 : 세탁소가
나 : 세탁소는/편의점 옆(편의점 오른쪽)
가 : 실례합니다. 은행이 어디에 있어요?
나 : 은행은 주유소와 도서관 사이(주유소 옆/
　　주유소 오른쪽/도서관 옆/도서관 왼쪽)에 있어요.
가 : 감사합니다.
가 : 실례합니다. 꽃 가게가 어디에 있어요?
나 : 꽃 가게는 주유소 왼쪽(주유소 옆)에 있어요.
가 : 감사합니다.
가 : 실례합니다. 주유소는 어디에 있어요?
나 : 주유소는 꽃 가게 오른쪽(은행 왼쪽/꽃 가게와
　　은행 사이/꽃 가게 옆/은행 옆)에 있어요.
가 : 감사합니다.

P. 124
가 : 비비엔 씨 뒤에 퍼디 씨가 있어요?
나 : 네, 비비엔 씨 뒤에 퍼디 씨가 있어요.
가 : 책상 위에 컴퓨터가 있어요?
나 : 네, 책상 위에 컴퓨터가 있어요.
가 : 가방 안에 옷이 있어요?
나 : 네, 가방 안에 옷이 있어요.

P. 125
가 : 냉장고가
나 : 냉장고는/3층
가 : 실례합니다. 화장실이 몇 층에 있어요?
나 : 화장실은 2층에 있어요.
가 : 감사합니다.
가 : 실례합니다. 지갑이 몇 층에 있어요?
나 : 지갑은 1층에 있어요.
가 : 감사합니다.
가 : 실례합니다. 주차장이 몇 층에 있어요?
나 : 주차장은 B2, 3층에 있어요.
가 : 감사합니다.

chapter 7 문법·회화 연습

P. 136
배우지 않습니다
마십니까?
씁니다/쓰지 않습니다
만납니까?/만나지 않습니다
먹습니다

P. 137
가 : 로이 씨
나 : 지금 맥주를 마십니다.
가 : 비비엔 씨, 지금 무엇을 합니까?
나 : 저는 지금 바나나를 먹습니다.
가 : 왕샤위 씨, 지금 무엇을 합니까?
나 : 저는 지금 음악을 듣습니다.
가 : 퍼디 씨, 지금 무엇을 합니까?
나 : 저는 지금 요리를 합니다.

P. 138
나 : 주말에 친구를 만납니다.
가 : 언제 청소를 합니까?
나 : 저는 아침에 청소를 합니다.
가 : 언제 책을 읽습니까?
나 : 저는 잠자기 전에 책을 읽습니다.

가 : 언제 영화를 봅니까?
나 : 저는 토요일, 일요일에 영화를 봅니다.

P. 139
가 : 이준기 씨, 오늘 피자를 먹습니까?
나 : 네, 피자를 먹습니다.
가 : 벤슨 씨, 오늘 책을 읽습니까?
나 : 아니요, 책을 읽지 않습니다. 텔레비전을 봅니다.
가 : 왕샤위 씨, 오늘 영화를 봅니까?
나 : 아니요, 영화를 보지 않습니다. 음악을 듣습니다.

chapter 8 문법·회화 연습

P. 147
책을 읽고 편지를 씁니다
텔레비전을 보고 잠을 잡니다
밥을 먹고 영화를 봅니다
친구를 만나고 도서관에 갑니다
커피를 마시고 음악을 듣습니다
백화점에 가고 쇼핑을 합니다

P. 148
가 : 최지영
나 : 명동
가 : 리리 씨, 어디에 갑니까?
나 : 저는 교회에 갑니다.
가 : 마스미 씨, 어디에 갑니까?
나 : 저는 백화점에 갑니다.
가 : 왕샤위 씨, 어디에 갑니까?
나 : 저는 식당에 갑니다.

P. 149
나 : 학교/한국어를 가르칩니다.
가 : 어디에서 친구를 만납니까?
나 : 저는 명동에서 친구를 만납니다.
가 : 어디에서 비빔밥을 먹습니까?
나 : 저는 식당에서 비빔밥을 먹습니다.
가 : 어디에서 책을 읽습니까?

나 : 저는 도서관에서 책을 읽습니다.

P. 150
나 : 오늘 오후/텔레비전을 보/편지를 씁니다.
가 : 오늘 오후에 무엇을 합니까?
나 : 저는 오늘 오후에 명동에서 영화를 보고
　　친구를 만납니다.
가 : 일요일에 무엇을 합니까?
나 : 저는 일요일에 공원에서 운동하고
　　그림을 그립니다.
가 : 내일 무엇을 합니까?
나 : 저는 내일 신문을 읽고 커피를 마십니다.

chapter 9 문법·회화 연습

P. 162
덥지 않습니다
춥습니다
시원하지 않습니다
비가 오지 않습니다
눈이 옵니다

P. 163
나 : 호주는 날씨가 덥습니다.
가 : 일본은 날씨가 어떻습니까?
나 : 일본은 날씨가 덥고 비 옵니다.
가 : 홍콩은 날씨가 어떻습니까?
나 : 홍콩은 날씨가 시원합니다.
가 : 제주도는 날씨가 어떻습니까?
나 : 제주도는 날씨가 따뜻합니다.

P. 164
나 : 김치는 맵지만 맛있습니다.
가 : 한국 음식은 어떻습니까?
나 : 한국 음식은 맛있지만 비쌉니다.
가 : 지하철은 어떻습니까?
나 : 지하철은 빠르지만 복잡합니다.
가 : 한국어 공부는 어떻습니까?

나 : 한국어 공부는 어렵지만 재미있습니다.

P. 165
나 : 맵지 않습니다. 맛있습니다.
가 : 만들기는 어렵습니까?
나 : 아니요, 만들기는 어렵지 않습니다. 쉽습니다.
가 : 버스는 사람이 적습니까?
나 : 아니요, 버스는 사람이 적지 않습니다. 많습니다.
가 : 백화점은 쌉니까?
나 : 아니요, 백화점은 싸지 않습니다. 비쌉니다.

chapter 10 문법·회화 연습

P. 178
만나요/안 만나요/만나지 않아요
와요/안 와요/오지 않아요
봐요/안 봐요/보지 않아요
앉아요/안 앉아요/앉지 않아요
서요/안 서요/서지 않아요
배워요/안 배워요/배우지 않아요
먹어요/안 먹어요/먹지 않아요
그려요/안 그려요/그리지 않아요
가르쳐요/안 가르쳐요/가르치지 않아요
마셔요/안 마셔요/마시지 않아요
요리해요/요리 안 해요/요리하지 않아요
청소해요/청소 안 해요/청소하지 않아요
추워요/안 추워요/춥지 않아요
더워요/안 더워요/덥지 않아요

P. 179
가 : 퍼디 씨, 어디에 가요?
나 : 민속촌에 가요.
가 : 퍼디 씨, 민속촌에 가요?
나 : 아니요, 민속촌에 안 가요. 롯데월드에 가요.
가 : 퍼디 씨, 강남에 가요?
나 : 아니요, 강남에 안 가요. 신촌에 가요.

P. 180
나 : 롯데월드에서 바이킹을 타요.
가 : 오늘 뭐 해요?
나 : 인사동에서 전통차를 마셔요.
가 : 오늘 뭐 해요?
나 : 저는 공원에서 그림을 그려요.
가 : 오늘 뭐 해요?
나 : 저는 강남에서 떡볶이를 먹고 쇼핑을 해요.

P. 181
나 : 영화를 안 봐요. 친구를 만나요.
가 : 학교에서 한국어를 공부해요?
나 : 아니요, 저는 한국어를 공부 안 해요.
　　 영어를 가르쳐요.
가 : 집에서 텔레비전을 봐요?
나 : 아니요, 저는 텔레비전을 안 봐요. 청소해요.
가 : 롯데월드에서 바이킹을 타요?
나 : 아니요, 바이킹을 안 타요. 롤러코스터를 타요.

chapter 11 회화 연습

P. 190
가 : 아침에 일어나서 보통
나 : 아침에 일어나서 신문을 읽어요.
가 : 아침에 일어나서 보통 뭐 해요?
나 : 저는 아침에 일어나서 청소해요.
가 : 아침에 일어나서 보통 뭐 해요?
나 : 저는 아침에 일어나서 샤워해요.
가 : 아침에 일어나서 보통 뭐 해요?
나 : 저는 아침에 일어나서 밥을 먹어요.

P. 191
가 : 학교에 가서 보통
나 : 학교에 가서 친구를 만나요.
가 : 동대문시장에 가서 보통 뭐 해요?
나 : 저는 동대문시장에 가서 옷을 사요.
가 : 이태원에 가서 보통 뭐 해요?
나 : 저는 이태원에 가서 맥주를 마셔요.

가 : 인사동에 가서 보통 뭐 해요?
나 : 저는 인사동에 가서 선물을 사요.

P. 192
가 : 친구를 만나서 보통
나 : 친구를 만나서 커피를 마셔요.
가 : 친구를 만나서 보통 뭐 해요?
나 : 저는 친구를 만나서 영화를 봐요.
가 : 이준기 씨를 만나서 보통 뭐 해요?
나 : 저는 이준기 씨를 만나서 피자를 먹어요.
가 : 로이 씨를 만나서 보통 뭐 해요?
나 : 저는 로이 씨를 만나서 놀이 기구를 타요.

P. 193
가 : 요리해서
나 : 요리해시 친구와 같이 먹어요.
가 : 김치를 만들어서 뭐 해요?
나 : 저는 김치를 만들어서 친구에게 줘요.
가 : 스파게티를 만들어서 뭐 해요?
나 : 저는 스파게티를 만들어서 친구와 같이 먹어요.
가 : 편지를 써서 뭐 해요?
나 : 저는 편지를 써서 친구에게 보내요.

P. 196
아픕니다/아파요
예쁘지 않습니다/안 예뻐요
예쁘지만/예뻐서
기쁩니다/기뻐요
기쁘고/기쁘지 않아요
기쁘지만/기뻐서
쓰지 않습니다/안 써요

chapter 12 문법 · 회화 연습

P. 204
안 만났어요
안 왔어요/오지 않았어요
보지 않았어요

앉았어요
배웠어요/안 배웠어요
읽었어요/안 읽었어요
그렸어요/그리지 않았어요

P. 205
나 : 지난 주말에 도서관에 갔어요.
가 : 지난 주말에 어디에 갔어요?
나 : 저는 지난 주말에 설악산에 갔어요.
가 : 지난 주말에 어디에 갔어요?
나 : 저는 지난 주말에 온천에 갔어요.
가 : 지난 주말에 이디에 갔어요?
나 : 저는 지난 주말에 놀이동산에 갔어요.

P. 206
나 : 도서관/백화점에 갔어요.
가 : 지난 주말에 설악산에 갔어요?
나 : 아니요, 저는 설악산에 안 갔어요. 온천에 갔어요.
기 : 지난 주말에 바다에 갔어요?
나 : 아니요, 저는 바다에 안 갔어요. 산에 갔어요.
가 : 지난 주말에 부산에 갔어요?
나 : 아니요, 저는 부산에 안 갔어요. 제주도에 갔어요.

P. 207
나 : 저는 어세 영화관에서 영화를 보고 술을 마셨어요.
가 : 어제 무엇을 했어요?
나 : 저는 어제 집에서 텔레비전을 보고 청소했어요.
가 : 지난 주말에 무엇을 했어요?
나 : 저는 지난 주말에 명동에서 피자를 먹고
　　쇼핑을 했어요.
가 : 지난 주말에 무엇을 했어요?
나 : 저는 지난 주말에 이태원에서 술을 마시고
　　춤을 추었어요.

P. 208
나 : 영화/친구를 만났어요.
가 : 어제 도서관에서 책을 읽었어요?
나 : 아니요, 저는 책을 안 읽었어요. 인터넷을 했어요.
가 : 어제 집에서 피아노를 쳤어요?
나 : 아니요, 저는 피아노를 안 쳤어요. 기타를 쳤어요.

가 : 지난 주말에 등산을 했어요?
나 : 아니요, 저는 등산을 안 했어요. 골프를 쳤어요.

chapter 13 문법·회화 연습

P. 217
볼까요?
만날까요?
마실까요?

P. 218
봅시다
만납시다
마십시다

P. 219
수업이 끝나면
시간이 있으면
시간이 없으면

P. 220
나 : 점심을 먹읍시다.
가 : 오늘 저녁에 술을 마실까요?
나 : 네, 좋아요. 술을 마십시다.
가 : 이번 주말에 온천에 갈까요?
나 : 네, 좋아요. 온천에 갑시다.
가 : 내일 농구를 할까요?
나 : 네, 좋아요. 농구를 합시다.

P. 221
가 : 골프를 할까요? 수영을 할까요?
가 : 오늘 점심을 먹읍시다.
　　비빔밥을 먹을까요? 비빔국수를 먹을까요?
나 : 비빔국수를 먹읍시다.
가 : 금요일에 영화를 봅시다.
　　007을 볼까요? 타이타닉을 볼까요?
나 : 타이타닉을 봅시다.
가 : 주말에 여행을 갑시다.

스케이트를 탈까요? 스키를 탈까요?
나 : 스키를 탑시다.

P. 222
나 : 저는 수업이 끝나면 친구를 만나요.
가 : 친구를 만나면 뭐 해요?
나 : 저는 친구를 만나면 농구를 해요.
가 : 집에 가면 뭐 해요?
나 : 저는 집에 가면 텔레비전을 봐요.
가 : 인사동에 가면 뭐 해요?
나 : 저는 인사동에 가면 전통차를 마셔요.

P. 223
나 : 저는 집에 안 가요. 도서관에 가요.
가 : 아침에 일어나면 신문을 읽어요?
나 : 아니요, 저는 신문을 안 읽어요. 커피를 마셔요.
가 : 시간이 있으면 영화를 봐요?
나 : 아니요, 저는 영화를 안 봐요. 경복궁에 가요.
가 : 수업이 끝나면 숙제 해요?
나 : 아니요, 저는 숙제 안 해요. 명동에 가요.

chapter 14 문법·회화 연습

P. 233
편지를 쓰세요
사진을 찍으세요
음악을 듣고 있어요
요리를 하고 있어요
와인을 마시고 있어요
춤을 추고 있어요
기타를 배우고 있어요
그림을 그리고 있어요

P. 234
가 : 점심을 드세요.
가 : 저는 기타를 배워요. 어머니도 기타를 배우세요.
가 : 동생은 방에 있어요. 아버지도 방에 계세요.
가 : 저는 책을 읽어요. 이머니도 신문을 읽으세요.

P. 235
나 : 저는 삼겹살
가 : 저녁에 텔레비전을 보세요?
나 : 네, 저는 텔레비전을 봐요.
가 : 주말에 설악산에 가세요?
나 : 네, 저는 설악산에 가요.
가 : 등산을 하세요?
나 : 아니요, 저는 등산을 안 해요. 수영을 해요.

P. 236
나 : 신문을 읽
가 : 지금 뭘 하고 있어요?
나 : 저는 지금 버스를 기다리고 있어요.
가 : 지금 뭘 하고 있어요?
나 : 저는 지금 골프를 치고 있어요.
가 : 지금 뭘 하고 있어요?
나 : 저는 지금 영화를 보고 있어요.

P. 237
나 : 그리고 있어요.
가 : 커피를 다 마셨어요?
나 : 아니요, 아직 마시고 있어요.
가 : 밥을 다 먹었어요?
나 : 아니요, 아직 먹고 있어요.
가 : 숙제 다 했어요?
나 : 아니요, 아직 하고 있어요.

P. 238
나 : 중국어를 배우고
가 : 요즘 뭐 해요?
나 : 저는 요즘 태권도를 배우고 있어요.
가 : 요즘 뭐 해요?
나 : 저는 요즘 피아노를 가르치고 있어요.
가 : 요즘 뭐 해요?
나 : 저는 요즘 영어를 가르치고 있어요.

chapter 15 문법·회화 연습

P. 248
오세요
타세요
영화를 보세요

P. 249
담배를 피우지 마세요
김치를 먹지 마세요
기다리지 마세요

P. 250
6000번 버스로 갈아타다
시청역에서 버스로 갈아타다
신촌에서 버스로 갈아타다
강남역에서 지하철로 갈아타다

P. 251
나 : 시청역에서 2호선으로 갈아타세요.
가 : 실례지만, 인사동에 어떻게 가요?
나 : 3호선 안국역에서 내리세요.
기 : 네, 알겠습니다. 감사합니다.
가 : 실례지만, 인천 공항에 어떻게 가요?
나 : 한국대학교 앞에서 공항버스를 타세요.
가 : 네, 알겠습니다. 감사합니다.
가 : 실례지만, 이태원에 어떻게 가요?
나 : 3호선 약수역에서 6호선으로 갈아타세요.
가 : 네, 알겠습니다. 감사합니다.

P. 252
가 : 실례합니다.
　　경복궁에서 롯데월드까지 어떻게 가요?
나 : 경복궁역에서 3호선을 타세요.
　　그리고 을지로 3가역에서 2호선으로 갈아타세요.
　　그리고 롯데월드역에서 내리세요.
가 : 고맙습니다.
가 : 서울대공원(역)에서 안국(역)까지 어떻게 가요?
나 : 서울대공원역에서 4호선을 타세요.

그리고 충무로역에서 3호선으로 갈아타세요.
그리고 안국역에서 내리세요.
가 : 고맙습니다.

P. 253
가 : 교실에서 영어를 하지 마세요.
가 : 어! 영화관에서 전화를 하지 마세요.
나 : 아이고, 죄송합니다.
가 : 어! 박물관에서 사진을 찍지 마세요.
나 : 아이고, 죄송합니다.
가 : 어! 공원에서 잔디밭에 들어가지 마세요.
나 : 아이고, 죄송합니다.

색인

● **발음 법칙**pronunciation rules

이준기와 함께하는
안녕하세요
한국어 1 English Edition

초판 인쇄	2010년 6월 1일
초판 발행	2010년 6월 10일
지은이	박지영 유소영
특별 참여	이준기
발행인	정은영
책임편집	김승원
마케팅	김지훈 강전태
표지 디자인	디자인 붐
본문 디자인	문미정
일러스트	토마 조윤혜
포토 아트워크	김덕일
성우	전숙경 홍진욱 나지형
DVD 녹음	THE ROAD
제작 협력	제이지 컴퍼니
펴낸곳	마리북스
출판등록	2007년 4월 4일 제313-2010-32호
주소	서울시 마포구 서교동 366-24 대덕빌딩 304호
전화	02) 324-0529~0530
팩스	02) 324-0531
홈페이지	www.maribooks.com
출력	하람출력
찍은곳	한영문화사
ISBN	978-89-94011-15-8 18710
	978-89-94011-13-4 (세트)